七不思議神社

白い影を追え

作 緑川聖司
絵 TAKA

あかね書房

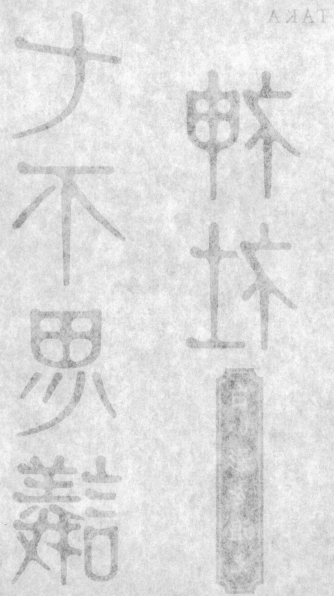

七節商店街
CREPE
花丸堂
歳末大売出し
いちご大福
花丸堂
メッチャあたる!?

ヒュゥゥウウウウゥゥゥ……

遠くに見える天河山《てんかわやま》から、うなるような音をたててふきおろす冷《つめ》たい風に、学校に向かっていたぼくは、思わず足を止めて身を縮《ちぢ》めた。

二学期も終わりに近づいて、寒さは日に日に増《ま》していたけど、今年はこれでも暖《あたた》かい方らしい。

風のいきおいが少しおさまったので、ぼくがふたたび歩きだそうとすると、
道の向こうから、タクミが手をふりながらかけよってきた。

「おーい、リク」

白いセーターの上にランドセルを背《せ》おったタクミは、もこもことしたカーキ色のダウンジャケットを着こんでふるえているぼくを見て、あきれたように笑《わら》った。

「なんや、寒がりやなあ」

タクミは、ぼくが七節町《ななふしちょう》に引っこしてきて、最初《さいしょ》にできた友だちだった。町に伝《つた》わる七不思議《ななふしぎ》を、いっしょに集めてまわったことがきっかけで、仲《なか》よくなったのだ。

タクミはうすい雲におおわれた空を見あげると、

「それにしても、今年は雪が降《ふ》らへんなあ」

といった。

タクミによると、いつもだったら十二月の半ばぐらいには、その冬はじめての雪が降《ふ》るのだそうだ。

「へーえ、そうなんだ」

ぼくは道の両がわに広がる、いねがかりとられたあとの寒々とした田んぼを見わたした。

この町でお正月を過《す》ごしたことは何度かあるものの、冬休みの前からいるのははじめてだった。

もともと父さんの実家があって、ばあちゃんがひとりで住んでいたんだけど、春先にばあちゃんがけがをして入院したことがきっかけで、五年生の夏休みの終わりに、ぼくと父さんと母さんの三人で引っこしてきたのだ。

ちゅうとはんぱな時期の転校に、はじめは不安《ふあん》や反発もあったけど、いまでは友だちもたくさんできて、自然《しぜん》いっぱいのこの町が、すっかり好《す》きになっていた。

前に住んでいた町では、冬でも雪を見ることはほとんどなかったし、あってもチラホラと舞《ま》う程度《ていど》だったとぼくがいうと、

「こっちはしょっちゅう降《ふ》るで。ひどいときには、このあたりまで積《つ》もるしな」

タクミはそういって、自分のひざを両手でたたいた。

「ほんと?」

ぼくは目を丸くした。

いままでにも、冬休みに遊びにきたときに、雪が降《ふ》ったことはあったけど、そこまで積《つ》もっているのは見たことがなかった。

「そやけど、昔はもっとすごかったらしいで。じいちゃんに聞いた話やけどな――」

先に立って歩きながら、タクミは語りはじめた。

狐火《きつねび》

いまから百年以上《いじょう》前の話。

村のはずれに、母ひとり子ひとりの親子が住んでいた。

大工の見習いをしていた息子の小太郎《こたろう》は、親孝行《おやこうこう》な上に信心深《しんじんぶか》いことで有名で、毎朝仕事に出かける前に、近所の稲荷《いなり》神社へのお参《まい》りを欠《か》かさなかった。

二人はびんぼうだが、つつましく幸せに暮《く》らしていた。

年が明けてまだ間もない、ある夜のこと。

小太郎《こたろう》がねる準備《じゅんび》をしていると、母がとつぜん胸《むね》をおさえて苦しみだした。

「うう……ううう……」

「だいじょうぶか、母ちゃん！」

ふつうの家には電話などない時代。医者を呼《よ》びにいくため、家を飛《と》びだした小太郎《こたろう》は、目の前の光景《こうけい》に言葉を失《うしな》った。

見わたすかぎり、真っ白な雪にうめつくされていたのだ。

昼過《ひるす》ぎから降《ふ》りだした雪が、夜になっていきおいを増《ま》したようだ。

さいわい、いまはもうやんで、空には半月がおぼろに光っている。

小太郎《こたろう》は、ひざまである雪を必死《ひっし》にかきわけながら、医者の家へといそいだ。

降《ふ》りつもった雪が、夜風にザザッと舞《ま》いあがって、小太郎《こたろう》の体にふきつける。

冷《ひ》えきった体にあせをかきながら、小太郎《こたろう》はけんめいに走った。

しかし、医者の家まであと少しというところで、とつぜん足の下の地面がなくなったかと思うと、小太郎《こたろう》は悲鳴をあげるひまもなく、雪の中にすっぽりとうまってしまった。

月明かりにまどわされたのか、どうやら道を大きくそれて、畑と畑の間にある深くてはばの広い用水路のようなところに落ちてしまったようだ。

小太郎《こたろう》はあわててぬけだそうとしたが、もがけばもがくほど、体はずぶずぶとしずんでいく。

あせが急速にこおりついて、体温がどんどんうばわれていくのがわかった。

声を出そうにも、口を開いたとたん、雪でのどがふさがれてしまう。雪は道にも畑にも等しく降《ふ》りつもっていて、人が通りかかったとしても、気づかれることはないだろう。

(このまま死んでしまうのかな……)

小太郎《こたろう》は死をかくごした。

しかし、なんとか母だけでも助けたい。

うすれてゆく意識《いしき》の中、小太郎《こたろう》は手を合わせていのった。

(稲荷大明神《いなりだいみょうじん》さま……どうか母ちゃんに、医者を呼《よ》んでやってください……どうか……どうか……)


「……郎《ろう》!　おい!　小太郎《こたろう》!」

ほおをたたかれるかんしょくに、小太郎《こたろう》が目を開けると、勤《つと》め先の棟梁《とうりょう》が、心配そうに顔をのぞきこんでいた。

「気がついたか？」

小太郎《こたろう》はガバッと飛《と》びおきた。

そこは畑のそばに建《た》てられた、スキやカマなどの農具を保管《ほかん》しておくための小屋で、小太郎《こたろう》はむしろの上にねかされていた。

自分が助かったことを理解《りかい》すると、小太郎《こたろう》は棟梁《とうりょう》にすがりついた。

「か、母ちゃんが……はやく医者を呼《よ》びにいかないと……」

「それならだいじょうぶだ。いま、若《わか》いやつを医者に走らせてる」

棟梁《とうりょう》はほほえんで、小太郎《こたろう》のかたをたたいた。

棟梁《とうりょう》の話によると、若《わか》い衆《しゅう》と飲みにいった帰り、雪の中を歩いていると、道を大きくそれたところに青白い光が見える。

なんだろうと思って近づくと、雪の上に火の玉がうかんでいて、その下から人のうめき声のようなものが聞こえてきた。

あわててみんなでほったら、体が冷《ひ》えきった小太郎《こたろう》が出てきて、

「母ちゃんが……はやく……医者を……」

と、うわごとのように何度もくりかえしている。

これはきっと、小太郎《こたろう》の母になにかあって、医者を呼《よ》びにいくとちゅうで雪にうまってしまったのだろうと思った棟梁《とうりょう》は、すぐにいっしょにいた若者《わかもの》を、ひとりは医者へ、ひとりは小太郎《こたろう》の家へと走らせたのだった。


「——けっきょく、小太郎《こたろう》の母ちゃんは、医者が間にあったおかげで助かったんやってさ」

話をしめくくるタクミに、

「その青白い火の玉って、なんだったんだろうね」

ぼくがたずねると、

「あれは〈狐火《きつねび》〉で、小太郎《こたろう》がいつもお参《まい》りをしてたお稲荷《いなり》さんが、小太郎《こたろう》を助けるために灯《とも》してくれたんやろうって、じいちゃんがゆってた」

タクミは答えて、ニッと笑《わら》った。

狐火《きつねび》が助けてくれたなんて、ふつうだったら信《しん》じられない話だけど、この町ならそんなことが起こっても不思議《ふしぎ》じゃない。

そんな狐火《きつねび》だったら見てみたいな、と思いながら歩いているうちに、ぼくたちは学校に到着《とうちゃく》した。

七節《ななふし》小学校は、全校児童《じどう》が二百人足らずの小さな学校なので、どの学年もひとクラスしかない。

五年一組の教室は、半分くらいの席《せき》がうまっていた。

二学期の授業《じゅぎょう》も今日で終わり。明日は終業式だ。

ぼくが机《つくえ》にランドセルを置《お》いて、一時間目の準備《じゅんび》をしていると、

「おはよう、リク」

同じクラスのシンちゃんが、声をかけてきた。となりにはソラのすがたもある。

「明日、昼から空いてるか？」

「空いてるけど……どうして？」

ぼくが聞くと、シンちゃんは笑《わら》って答えた。

「ギィが、本格的《ほんかくてき》に寒くなる前に、遊びにけえへんかって」

ギィというのは、町を流れる月森川《つきもりがわ》で出あった、怪談好《かいだんず》きの河童《かっぱ》のことだ。

ぼくとタクミ、シンちゃん、そしてソラの四人は、この秋、あるできごとがきっかけで、ギィと友だちになった。

なかでもシンちゃんは、はじめのうちは、たましいをぬかれるかもしれないといって、河童《かっぱ》のことをけいかいしていたのに、つり好《ず》きで意気投合したらしく、いまではすっかり仲《なか》よくなっていた。

「冬の間って、河童《かっぱ》はどうしてるのかな？」

ぼくはふと疑問《ぎもん》に思ったことを口にした。

「どうしてるのかって？」

シンちゃんが聞きかえす。

「だって、ずっと川にいるんだろ？　寒くないのかなと思って……」

もちろん、川からあがることもあるけど、一日のうちの何割《なんわり》かは水の中で過《す》ごすといっていたはずだ。

「ほんとね」

ぼくの言葉に、ソラがうなずいた。

「雪なんか降《ふ》ったら、こごえちゃうんじゃない？」

「河童《かっぱ》が雪だるまみたいに着こんでるのって、想像《そうぞう》つかへんしなあ……」

シンちゃんの言葉に、河童《かっぱ》がまるまると着ぶくれしているところを思いうかべて、ぼくたちは笑《わら》い声をたてた。

「雪だるまといえばね……」

ソラが顔に笑《え》みを残《のこ》しながら口を開いた。

「引っこしてきたばかりのころに、こんなことがあったの――」

雪だるま

「すごーいっ！」

日曜日の朝。

雪で白くそまった庭を見て、ソラの弟のヒデヨシは、はしゃいだ声をあげた。

三年前。ソラたちは、七節町《ななふしちょう》に引っこしてきて、はじめての冬を過《す》ごしていた。

当時、ソラは小学二年生、ヒデヨシはまだ幼稚園《ようちえん》の年中さんだった。

「ねえねえ、お姉ちゃん。雪だるまつくろうよ」

ヒデヨシは、ソラの手を引っぱって庭に出ると、雪玉を何度も転がして、自分の背《せ》たけとあまり変《か》わらないくらいの、大きな雪だるまを完成《かんせい》させた。

さらに、頭に砂場《すなば》用の小さなバケツをのせると、落ちていた枝《えだ》の切れはしで顔をつくり、体の両がわにも木の枝《えだ》をさして、その先に使わなくなった青い手ぶくろをかぶせた。

生まれてはじめて自分の手でつくった雪だるまは、ヒデヨシにとって特別《とくべつ》だったみたいで、つぎの日になっても、くずれたところをなおしたり、とけたところに雪を足したりして、雪だるまを守っていた。

そんなある日のこと。

その日は朝から陽ざしが暖《あたた》かく、道ばたに残《のこ》っていた雪も、たえきれなくなったようにとけはじめていた。

「お母さん、はやくはやく」

幼稚園《ようちえん》が終わって、お母さんにむかえにきてもらったヒデヨシは、雪だるまが心配で足をはやめた。

幼稚園《ようちえん》から家に帰るとちゅうには、長いくだり坂がある。

午前中にとけた雪が、午後にはいって日かげになったところでこおりはじめていたので、お母さんがしんちょうに足を進めていると、ヒデヨシはとつぜん、つないでいた手をふりほどいて走りだした。

「あぶない!」

さけぶお母さんの目の前で、ヒデヨシがすべって転んでしまう。

お母さんはあわてて助けにいこうとしたけど、自分も足をとられて、思うように進めない。

「お母さーん！」

ヒデヨシは悲鳴をあげながら、そのまま坂をすべり落ちていった。

坂の下はT字路《ティーじろ》になっていて、トラックが大きな音を立てながら、右から左へと通りすぎていく。

ヒデヨシの体が、車道に飛《と》びだしそうになったそのとき、

バシャッ！


雪がはじけて、ヒデヨシの視界《しかい》が真っ白になった。

きょとんとした表情《ひょうじょう》で、道にすわりこむヒデヨシのすぐ前を、トラックが走りさっていく。

どうやら、飛《と》びだす直前で雪のかたまりにぶつかって止まったみたいだ。

もし、それがなかったら、無事《ぶじ》ではすまなかっただろう。

よく見ると、ヒデヨシがぶつかったのは、元は大きな雪だるまだったようだ。

だけど、坂道はお寺の裏《うら》にあって、道の左右にはブロックべいが続《つづ》いている。こんなところに、雪だるまをつくる人がいるとは思えない。

「走っちゃダメっていったでしょ！」

ようやく追いついたお母さんにしかられて、急にこわくなったヒデヨシは、わんわんと大声をあげて泣《な》きだした。

その手には、雪と土でどろどろになった青い手ぶくろがにぎられて、そばには砂場《すなば》用のバケツが転がっていた。

「――家に帰ったら、庭の雪だるまは、なくなってたんだって」

ヒデヨシが大切にしてたから、お礼に助けてくれたのかな、とソラが話をしめくくったとき、始業五分前のチャイムが鳴った。

明日、昼ごはんを食べたら川原に集合する約束《やくそく》をして、みんなは席《せき》にもどった。

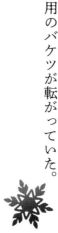

授業《じゅぎょう》が終わるころには、空の雲は一段《いちだん》と厚《あつ》くなり、寒さはさらに厳《きび》しさを増《ま》していた。

ぼくが家に帰ると、

「おかえり。寒かったやろ」

ばあちゃんがこたつから手招《てまね》きをした。

「はよ、はいり」

ぼくはランドセルをおろすと、こたつに飛《と》びこんだ。足と手に、暖《あたた》かさがじわじわとしみわたっていく。

「母さんは?」

「買いものにいってるよ」

みかんの皮をむきながら、ばあちゃんが答えたとき、

ウ~~ウ~~
カン、カン、カン

遠くの方から、消防車《しょうぼうしゃ》のサイレンの音が聞こえてきた。

「またどこぞで火事でもあったんかなあ」

ばあちゃんがしぶい顔をしていった。

このところ、町では火事が続《つづ》いていた。十二月にはいって、これで三件《けん》目だ。

しかも、ごみ捨《す》て場とか家の物置《ものおき》とか、火の気がないところばかりから火が出ていて、いまのところは、まだけが人は出ていないけれど、放火じゃないかとうわさされていた。

「もう、夜回りはやってないの？」

ばあちゃんが子どものころは、冬の夜になると町の人が拍子木《ひょうしぎ》を打ちならしながら、火の用心を呼《よ》びかけて歩きまわったらしい。

「もう何年も、聞かんようになったなあ」

ばあちゃんはそういうと、みかんをひとふさ、口に放りこんだ。

それから、ぼくの顔を見て、

「今日は、雪は降《ふ》ってたか？」

と聞いた。ぼくが首をふると、

「そうか……今年はどないしたんやろ。雪女に、なんかあったんやろか……」

ばあちゃんは、心配そうにぽつりとつぶやいた。

「え？　雪女？」

ぼくは思わず身をのりだした。

「ばあちゃん、見たことあるの？」

「見たことはないけど、古くから、天河山《てんかわやま》の山おくには雪女が住んでるっていういいつたえがあるんやで」

ばあちゃんはにこにこしながら、話しはじめた。

雪女の恋《こい》

昔々の話。

秋の終わりに、ひとりの男がけものをかるため、天河山《てんかわやま》のおくへと足をふみいれた。

しかし、冬ごもりの準備《じゅんび》をしているのか、えものはなかなかあらわれない。

男があきらめて帰ろうとしたとき、岩場のかげで、白い着物すがたの若《わか》い女性《じょせい》が気を失《うしな》ってたおれているのを見つけた。

長い黒髪《くろかみ》に白いはだの、ハッとするほど美しい女性《じょせい》だ。

どうやら、ほかのりょうしがイノシシをとるためにしかけた縄《なわ》に、足をとらわれてしまったようだ。

そこは、山になれている男の足でも、村から半日はかかろうかという山深い場所で、ましてや着物の女性《じょせい》が、こんな季節《きせつ》に通りかかるようなところではない。

なにか事情《じじょう》があって、山をこえようとしたのだろうかと思いながら、男は女性《じょせい》をだきかかえると、近くにあったりょうし小屋へと運んだ。

やがて、女性《じょせい》は目を覚《さ》ますと、男に礼をいった。

そして、自分は山に住む雪女であり、今日は薬草を集めるためにここまでおりてき

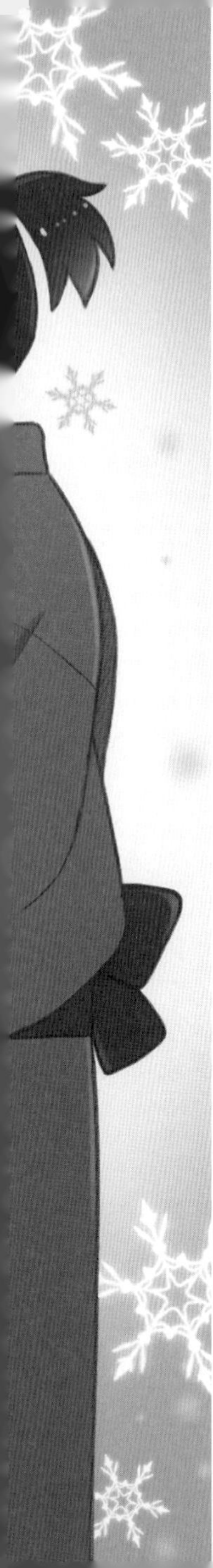

たのだが、うっかりわなにつかまってしまった。本来なら、自分のすがたを見た人間を生かして帰すわけにはいかないのだが、あなたはわたしを助けてくれたので、わたしと山で出あったことをわすれて、だれにもいわずにいてくれるなら、このまま山をおりてもかまわない、と告《つ》げた。

しかし、男はわすれることはできないといった。

ひと目見たときから、男は雪女に恋《こい》をしていたのだ。

そして、雪女もまた、彼《かれ》を好《す》きになっていた。

それから二人は、人目をしのんで会うようになった。

人間は雪女の里にはいれないし、彼女《かのじょ》も山から出ることはできない。

そこで二人は、山のふもとにある、いまはもうだれも使う者のいない古びた小屋で逢瀬《おうせ》を重ねた。

月日は流れ、暦《こよみ》の上では冬になったが、雪女は男に夢中《むちゅう》になるあまり、雪を降《ふ》らせるのをわすれていた。

すると、いつもなら雪が深いために、冬はおとなしくしていた山賊《さんぞく》が、これさいわいと山をこえて村をおそった。

そのしゅうげきから村人を守ろうとして、男は山賊《さんぞく》に殺《ころ》されてしまった。

それを知った雪女は、悲しみのあまり、かってないほどの大雪をこの地に降《ふ》らせ、にげようとしていた山賊《さんぞく》は、その雪にはばまれて残《のこ》らずつかまった。

しかし、それでも雪女のなげきはおさまらず、降《ふ》りつづける雪の中、男の名を呼《よ》ぶ声がいつまでも天《てん》河《かわ》山《やま》にひびいていたということだ。

「――その冬は、雪で村がすっかりうまってしまったそうや」

話しおえて、ばあちゃんはお茶をすすった。

「それで、雪女はどうなったの?」

ぼくが聞くと、ばあちゃんはどこか遠くを見つめるような目をしていった。

「どうなったんかなあ……いいつたえはそこまでしか残《のこ》ってないから。ただ、それ以来《いらい》、年の終わりまでに雪が降《ふ》らへんのは凶兆《きょうちょう》やっていわれるようになったんよ」

「凶兆《きょうちょう》ってなに？」

「うらないみたいなもんで、悪い兆《きざ》しのことやな」

ばあちゃんはかたを落として、はぁ、と息をはいた。

「なんか、悪いことが起こらんかったらええんやけど……」

翌朝《よくあさ》。

アラームの音で起きると、ぼくはまず窓《まど》を開けた。

風の冷《つめ》たさに、いっぺんに目が覚《さ》める。

絵の具をうすくのばしたようなあわい青空が広がっていて、遠くの方に雲がわずかにかすんで見えた。

どうやら、今日も雪は降《ふ》ってないみたいだ。

居間《いま》にいくと、父さんがまゆを寄《よ》せてテレビを見ていた。

ぼくの父さんは、ずっと大手チェーンの飲食店で調理の仕事をしていたんだけど、こっちにきてからは、家から車で十分ほどのところにある洋食屋をついで経営《けいえい》している。

店は夜十時まで開けているので、帰ってくるのはいつもおそいけど、営業《えいぎょう》はランチからなので朝はゆっくりだ。

「おはよう」

ぼくが声をかけながら食卓《しょくたく》につくと、父さんは「おう、おはよう」とふりかえった。

「どうしたの？　むずかしい顔して……」

ぼくが聞くと、

「ああ、なかなか寒くならへんなあと思ってな……」

地元に帰ってきて四ヶ月。すっかりこっちの言葉にもどった父さんが、テレビに目を向けながら顔をしかめた。

テレビでは、ちょうど天気予報《よほう》をやっているところだった。

「やっぱり、雪が降《ふ》らないのは凶兆《きょうちょう》なの?」

ぼくがいうと、父さんは目を丸くした。

「どないしたんや、急に」

ぼくが、昨日《きのう》ばあちゃんから聞いた話をすると、

「雪が降《ふ》らんからよくないってわけやないけどな……」

苦笑《にがわら》いしながら説明《せつめい》してくれた。

雪が降《ふ》る降《ふ》らないが問題なのではなく、そのくらいまで気温が下がらないと、野菜《やさい》がちゃんと育たなかったり、味が落ちたりすることがあるらしい。

地元の食材《しょくざい》を使って料理《りょうり》屋をやっている父さんにとって、野菜《やさい》の育ちぐあいは重大な問題なのだ。

雪が降《ふ》ったら吉兆《きっちょう》、というのは、天気予報《よほう》がそれほど発達《はったつ》していなかったころの、昔の人の知恵《ちえ》なのだろう。

いっしょにテレビを見ながら、ぼくは心の中で、はやく雪が降《ふ》りますように、と願《ねが》った。

終業式は体育館でおこなわれた。

校長先生の話が終わって、教室にもどると、ひとりずつ通知表を受けとる。

ぼくにとっては、七節小《ななふし》でもらうはじめての通知表だ。

手にすると、あらためてこの学校の一員になったんだな、という実感がわいてくる。

通知表と宿題を配りおえると、先生はぐるりと教室を見まわした。

五年一組の担任《たんにん》は、増田《ますだ》先生という若《わか》い女の先生だ。

七節《ななふし》小学校の卒業生で、大学にはいるときに一度この町をはなれたんだけど、教員免許《めんきょ》を取って、二年前に帰ってきたらしい。

規則《きそく》正しい生活をしましょうとか、テレビやゲームは時間を決めましょうとか、冬休みの暮《く》らしについての注意がひと通り終わると、先生は表情《ひょうじょう》をくもらせて、

「それから、みなさんも知っているとは思いますが、最近《さいきん》町内でふしんな火事が続《つづ》いています」

といった。

「原因《げんいん》はわかっていませんが、放火の可能性《かのうせい》もあるようなので、あやしい人を見かけても、声をかけたりはせずに、すぐにまわりの大人に教えてください」

それだけいうと、パッと笑顔《えがお》になって、口調を切りかえた。

「それでは、また三学期に元気な顔を見せてください。みなさん、よいお年を！」

「起立！」

日直当番のシンちゃんの号令《ごうれい》で、みんながいっせいに立ちあがる。

「さようなら！」

みんなが帰りじたくをはじめる中、ぼくもランドセルを背《せ》おって、教室を出ようとすると、先生が話しかけてきた。

「リクくん、どう？　学校にはもうなれた？」

「はい。すごく楽しいです」

ぼくはすぐに答えた。

給食メニュー
時間割
月 火 水 木 金
1 国 算 国 国 算
音 書 社 書 理
理 道 社 外
国 算 理 国
理 算 社
総 体

前の学校も楽しかったけど、この町に引っこしてきてからは、いままでになかった体験《たいけん》もできて、毎日がすごく刺激的《しげきてき》だった。

「そう。よかった」

先生はホッとしたようにほほえんだ。それから、

「こっちの冬は寒さが厳《きび》しいから、体調管理《かんり》に気をつけてね」

そういうと、ぼくのかたをポンとたたいた。

「はい」

いきおいよくうなずいてから、ぼくは少し声のトーンを落としていった。

「でも、今年っていつもより暖《あたた》かいんですよね？　雪もまだだし……」

「そうなのよ」

先生は窓《まど》の方に目を向けて、小さくため息をついた。

「やっぱり、雪がないとちょっとさびしいわね……」

いったん家に帰って、お昼ごはんを食べると、ぼくは月森川《つきもりがわ》へと向かった。

うすい雲を通して、冬のやわらかな陽ざしが降《ふ》りそそいでいる。

土手から見おろすと、もうほかのみんなは川原に集まっていた。

川の上を通る風は冷《つめ》たくて、ソラは首に赤いマフラーをぐるぐる巻《ま》きにしている
し、タクミとシンちゃんも、さすがにウインドブレーカーをはおっている。

「おそいぞー」

手をふるシンちゃんに、

「ごめんごめん」

手を合わせながら、ぼくが土手からかけおりたとき、

ザバッ!

大きな水音をたてて、川の中から緑色の生きものがあらわれた。
背中《せなか》のこうらに長い手足。口には鳥のようなくちばしがついていて、頭にはお皿、
そのまわりにはギザギザの髪《かみ》が生えている。

河童《かっぱ》のギィだ。

「ひさしぶりやな」

ギィはぼくとソラの顔を見て、ニッと笑《わら》った。

シンちゃんとタクミは、よくギィといっしょにつりをしているらしい。

体中からポタポタと水をしたたらせるギィのすがたに、平気なのかな、と思っていると、

「みんな、寒そうやなあ。よかったら、いっしょに川にはいるか?」

ギィは、とんでもないことをいいだした。

「なにいってるのよ。見てるだけでも寒いのに」

ソラがマフラーに口元をうずめながらうなった。

「河童《かっぱ》って、寒さを感じないの?」

「そんなことはないぞ」

ギィは胸《むね》を張《は》って、なぜかいばるようにいった。

「おれはたしかに強い方やけど、河童《かっぱ》の仲間《なかま》にも寒がりのやつはおるんや。これは

父ちゃんから聞いた話やけどな……」

寒がりの河童《かっぱ》

いまから何十年か前の話。

その年はとくに寒さが厳《きび》しくて、強い北風が川にふきつけていた。

そんな中、寒がりな河童《かっぱ》が暖《あたた》かい場所を求《もと》めて、こっそり町をうろついていた。

寒がりとはいっても、やはり河童《かっぱ》は河童《かっぱ》。一日中、水の外にいるわけにはいかない。

少しでも暖《あたた》かい水をさがして歩きまわった結果《けっか》、河童《かっぱ》が見つけたのは、学校のプールだった。

防火《ぼうか》用に水を貯《た》めてある冬のプールは、川のように流れないので、太陽の光で温まっている。

それに、ちょうどそうじをしていれかえたばかりで、水もそんなによごれてはいなかった。

学校は冬休みだったが、昼間は人の出入りがあったので、河童《かっぱ》は夜、真っ暗になってから学校にしのびこんだ。

「あー、気持ちいい……」

外は夜風がビュービューとふいていたが、水の中は風もないし、昼間の太陽の熱《ねつ》がまだ残《のこ》っていて、河童《かっぱ》にとっては極楽《ごくらく》だった。

水にうかんで大の字になりながら、今日ものんびりと満月《まんげつ》を見あげていると、

「……おい、ほんとにいくのかよ」

プールを囲《かこ》むフェンスの向こうがわから、人の気配と、ささやくような声が聞こえてきた。

どうやら、小学校の子どもたちが、きもだめしにやってきたようだ。

小声で話している内容《ないよう》を聞くと、どうやら最近《さいきん》、夜のプールからバシャバシャと水

音が聞こえるので、おばけが出るんじゃないかとうわさになっているらしい。

河童《かっぱ》はあわてて水にもぐった。

ようやく見つけた隠《かく》れ家《が》なのに、人間にばれたら、いままでのように使えなくなってしまう。

話し声はどんどん近づいてくる。

そして、ついにガシャンという音が聞こえて、フェンスを乗りこえた子どもたちが、プールサイドにやってきた。

河童《かっぱ》は底《そこ》の方で息をひそめていたが、いれかえたばかりの水はとうめいで、このままでは見つかるのも時間の問題だ。

坊主《ぼうず》頭の男の子と目が合って、もうだめだ、と思った河童《かっぱ》は、思いきって一気にうかびあがると、

ザバアッ！

水面から顔を出して、きょうふにかたまっている子どもたちに、できるかぎりいげんをこめていった。

「わ、わわ、わたしのことは……けけ決して……だ、だれにもいっては、なななならぬ……」

ところが、寒さで体がぶるぶるとふるえているために、口がうまくまわらない。

それでも、おどろいた子どもたちは、

「わーーーーっ!」

と悲鳴をあげながら、転がるようににげていった。


「その話、知ってる!」

ギィが話しおわると、ソラがまっすぐに手をあげた。

「この前、ヒデヨシから聞いたの。ヒデヨシは友だちから聞いたらしいんだけど……。なんでも、学校のプールには冬になると緑の鬼《おに》があらわれて、近づくとすごいはくりょくでおこられるんだって」

どうやら、寒さにふるえている河童《かっぱ》の様子が、いかりにふるえる鬼《おに》のすがたとして広まってしまったようだ。

「でも、うわさが残《のこ》ってるってことは、だれにもいうなっていうのは、守られへんかったんやな」

タクミの言葉に、シンちゃんがうなずいた。

「そらそうやろ。そんなん、だれも守らへんって」

「そういえば……」

二人のやりとりを聞いて、雪女のことを思いだしたぼくは、昨夜《さくや》のばあちゃんの話を、みんなに話した。

ソラがわずかに目をうるませながら、

「かわいそう……」

と、つぶやく。

「そやけど、男は死んでるのに、なんでその話が伝《つた》わってるんやろ」

タクミが頭の後ろで手を組んで、不思議《ふしぎ》そうにいった。

「たしかにそうやな」

ギィが首をかしげる。

「雪女は気位《きぐらい》が高いから、自分でいうとは思われへんけどなあ」

「え？」

ソラがおどろいてたずねた。

「雪女って、本当にいるの？」

「おるよ。七節町《ななふしちょう》に雪を降《ふ》らせるのは、天河山《てんかわやま》の雪女の役目やからな」

ギィはあたりまえのようにそういうと、空を見やった。

「そやけど、今年はほんまに雪がおそいなあ。雪女に、なんかあったんかな」

「ぐあいが悪いとか？」

ぼくが思いついたことを口にすると、

「雪女って、かぜ引くんか？」

シンちゃんが疑《うたが》わしそうに首をひねった。

「けど、回覧板《かいらんばん》には、なんにも書いてなかったけどなあ」

ギィが口をとがらせて、ひとりごとのようにいう。

ギィによると、河童《かっぱ》や天狗《てんぐ》など、山の住民《じゅうみん》だけの回覧板《かいらんばん》というものがあって、重要《じゅうよう》なお知らせがあるときは、そこにのせるらしい。

なんだか人間っぽくておもしろいな、と思っていると、

グワー、グワー、グワー

頭上から、けたたましい鳴き声が聞こえてきた。

見あげると、真っ白なカラスが、ぼくたちの真上でぐるぐると円をえがいていた。

「え？　白いカラス？」

ぼくが思わずさけぶと、

「リク、あのカラスが見えるんか？」

ギィがおどろきの声をあげた。

「あのカラスのこと？」

ソラがカラスを指さす。

よく見ると、その足に、おみくじのような小さく巻《ま》かれた紙をつかんでいる。

「見えるんかって……ふつうに見えるよな？」

タクミがいって、シンちゃんがうなずく。そんなぼくたちに、

「あれは雪女の使いなんや」

ギィが意外そうな顔でいった。

「あのカラスのすがたが見えるのは、山の住民《じゅうみん》か、雪女に選《えら》ばれた人間だけ……足に持ってるのは、たぶん四人への手紙やと思うで」

そのとき、まるでギィの言葉が聞こえたようなタイミングでカラスが足を開いて、紙がひらひらと落ちてきた。

四人の中で一番背《せ》の高いシンちゃんが、パッと取って紙を開く。

ぼくたちはその手元をのぞきこんだ。

それはギィのいったとおり、雪女からぼくたちへの手紙だった。

筆を使ったきれいな文字で、こう書いてある。

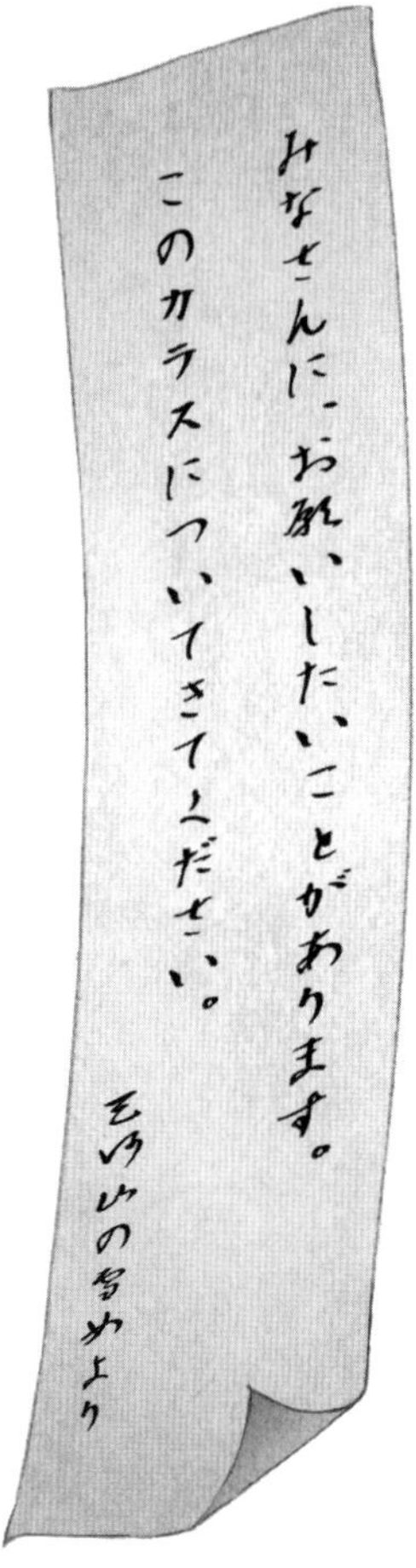
みなさんに、お願いしたいことがあります。
このカラスについてきてください。
三ツ山の雪女より

雪女といえば、天気を操《あやつ》ったり、口ふうじのために人間をこおりつかせたりと、こわいイメージなんだけど——

「いってみようぜ」

タクミがぼくたちの顔を見まわしていった。

「気位《きぐらい》の高い雪女が、人間の、しかもおれたちみたいな子どもにたのみたいことがあるなんて、よっぽど困《こま》ってるんだよ」

ぼくも、そうかもしれないな、と思った。

それに、河童《かっぱ》だってはじめはこわかったけど、付《つ》きあってみたらすごくいいやつだったし……。

「うん、いこうよ」

ぼくがうなずくと、シンちゃんとソラも首をたてにふった。

雪女はふだんは山のおくにある隠《かく》れ里《ざと》で暮《く》らしていて、山の住民ともあまり交流がないらしい。

「気をつけてな」

ギィに見送られたぼくたちは、カラスのあとを追って、川の上流へと歩きだした。

隠《かく》れ里《ざと》までどうやっていくんだろうと思っていると、森にはいってしばらくしたところで、カラスが急にひと声鳴いて方向を変《か》えた。
山のおくではなく、ふもとを回りこむようにして、木々の間をぬけていく。
見失《みうしな》わないように、けんめいに追いかけると、とつぜん目の前に山小屋があらわれた。
昔話に出てきそうな小さな山小屋で、長い間使われていないのか、屋根やかべがずいぶんと傷《いた》んでいる。

村の若者《わかもの》との逢瀬《おうせ》に使っていたりょうし小屋かな、と思っていると、

ビューーーーッ！


雪の混《ま》じった冷《つめ》たい風が、とつぜん上空からふきつけてきた。

「うわあっ！」

ぼくたちが悲鳴をあげて、寒さに身をふるわせていると、風はくるくると小さく巻《ま》いて……やんだときには、目の前に白い着物すがたの女の人が立っていた。

長い黒髪《くろかみ》に白いはだ。切れ長の目で、じっとぼくたちを見つめている。

「よくきてくれました」

女の人はそういうと、くちびるの両はしをわずかにあげてほほえんだ。

「はじめまして。わたしが天河山《てんかわやま》の雪女です」

「あ、どうも……」

ふんいきにのまれたぼくが、なんだかまぬけな返事をすると、

「こちらにどうぞ」

女の人――雪女は、先に立って山小屋の中へとはいっていった。

ぼくたちは顔を見あわせると、シンちゃんを先頭にして、あとに続《つづ》いた。

はいってすぐのところには小さな土間があって、その向こうに板間がある。板間の真ん中にはいろりがあるけど、火は点《つ》いていなかった。

去年、社会科見学の郷土資料館《きょうどしりょうかん》で見た〈昔の人のくらし〉のジオラマそっくりだ。

いつのまにか、板間のおくで雪女が正座《せいざ》をして、静《しず》かにこちらを見つめていた。

そのとなりでは、白いカラスが羽を休めている。

ぼくたちがこしをおろすと、雪女は立ちあがって、お茶を出してくれた。

きんちょうして、のどがカラカラにかわいていたぼくは、湯飲みに口をつけて、

「ひゃっ」

と短く悲鳴をあげた。

中身はまるで氷水のように冷《つめ》たいお茶だったのだ。

雪女は、顔色ひとつ変《か》えずに飲みほすと、

「あなたたちのことは、山の回覧板《かいらんばん》で知りました」

そういって、ぼくたちの顔を順番《じゅんばん》に見まわした。

ぼくたち四人は、少し前に河童《かっぱ》のたのみごとを引きうけたことがあったので、たぶんそのことだろう。

雪女はもともとまっすぐな背《せ》すじを、さらにピンとのばすと、

「みなさんに、お願《ねが》いがあります」

といった。

「わたしの娘《むすめ》をさがしてくださいませんか」

思いがけないせりふに、ぼくたちがとまどっていると、雪女はたんたんとした口調で説明《せつめい》をはじめた。

雪女は、その役割《やくわり》をある程度《ていど》つとめると、その力がおとろえてしまう前に、つぎの雪女へと代がわりをしていくらしい。

今年はそろそろ娘《むすめ》に雪の降《ふ》らせかたを教えて、代がわりの準備《じゅんび》をはじめようと

思っていたところ、以前《いぜん》からあとをつぐのをいやがっていた娘《むすめ》が、二日前にとつぜんすがたをくらましてしまった。

そのため、年の瀬《せ》になっても雪を降《ふ》らせることができなかったのだ。

「このままでは、雪女をつがせることができません」

雪女は悲しげに目をふせて、ため息をついた。

「わたしもいずれは、雪を降《ふ》らせる力がなくなります。そのとき、つぐ者がいなければ、この地の自然《しぜん》は乱《みだ》れてしまうでしょう。そうなる前に、なんとか娘《むすめ》をさがしだしてほしいのです」

「なにか、手がかりとか心あたりはあるんですか?」

タクミが身を乗りだして聞いた。

なんの手がかりもなければさがしようがない。

「あります」

雪女はきっぱりと答えた。

「娘《むすめ》は、七節町《ななふしちょう》のどこかに身をかくしているのだと思います」

雪女の一族は、天河山《てんかわやま》からあまり遠くにはなれることはできない。

しかし、山の中にいれば、雪女が気配を感じとることができる。

それに、雪女の娘《むすめ》――雪娘《ゆきむすめ》は、もともと人間の世界に興味《きょうみ》を持っていたので、おそらく天河山《てんかわやま》のそばにある七節町《ななふしちょう》にかくれているのだろう、ということだった。

「本当は、わたし自身がさがしにいければいいのですが……」

現役《げんえき》の雪女が山をおりると、天気にあたえるえいきょうが大きすぎるのだそうだ。

だから、昔話の雪女は、ふもとの小屋までしかこられなかったのだろう。

長い説明《せつめい》を終えた雪女は、ふう、と息をはいた。そして、ぼくたちの顔をじっと見つめると、

「わかっているとは思いますが……」

低《ひく》く、冷《つめ》たい声でいった。

「今日話したことはもちろん、わたしと会ったことも、ほかの人には話さないでくださいね」

昔話でも、雪女は自分と会ったことを人に話してはいけないと口止めするが、それ

は自分たちを守るためなのだと、雪女はいった。

天候《てんこう》を操《あやつ》ることのできる雪女は、その存在《そんざい》が人間にばれると、つかまって利用《りよう》されるか、化けものとして殺《ころ》されることが多かった。

いくら人間にない力を持っているとはいえ、個体数《こたいすう》があっとう的《てき》に少ない雪女にとって、存在《そんざい》が知られることは死活問題になる。

そこで、雪女の住処《すみか》に近づいたり、そのすがたを見た人間は殺《ころ》してしまうというおきてができたのだ。

「あなたたちのことは、もちろん信頼《しんらい》しています。ですが、あなたたちが話した相手のことまで信《しん》じることはできないのです」

雪女は申しわけなさそうに、しかしはっきりとそう宣言《せんげん》した。

「わかりました」

ぼくたちを代表して、シンちゃんがうなずいた。

「ぜったいに、ほかの人には話しません」

雪女は表情《ひょうじょう》をゆるめると、雪娘《ゆきむすめ》の外見について語りはじめた。

見た目は小学校の低学年《ていがくねん》くらい。雪女と同じく色白で、長い黒髪《くろかみ》に目はひと重《え》、白い着物を着ている。

「もっとも、本当の年れいは、あなたたちよりもずっと上ですけど。山に住むものは成長《せいちょう》がおそいので……」

「え？　それじゃあ……」

一見、三十才くらいに見える雪女は、じっさいには何才なんだろう——そう思っていると、考えていることを読まれたのか、雪女はにっこり笑《わら》っていった。

「人の年れいを、むやみに聞くものではありませんよ」

ぼくはのど元まで出かかった言葉を、ぐっと飲みこんだ。

顔は笑《わら》ってるけど、目はぜんぜん笑《わら》っていない。

いままでに出あった町の怪異《かいい》の中で、一番こわかった。

「でもなあ……」

タクミがうでを組んで、むずかしい顔をした。

「雪女のことをだれにも話さずに、その子をさがすのって、けっこうむずかしくないか？」

たしかに、人に聞いてまわれないというのは、なかなかやっかいだ。

「雪娘《ゆきむすめ》に人間の知りあいは、いないんですか？」

ソラの言葉に、雪女はいっしゅん考えこむようなそぶりを見せると、

「人間の知りあいはいないと思いますが、もしかして山のものなら……」

といった。

河童《かっぱ》のギィのように、人里に近いところで暮《く》らしている妖怪《ようかい》になら、なにか相談し
ているかもしれない、というわけだ。

むずかしいかもしれないけど、同じ七節町《ななふしちょう》に住む者として、こんなにしんけんにた
のまれたら、断《ことわ》るわけにはいかない。

「わかりました。やってみます」

シンちゃんがそういうと、雪女は深々と頭をさげた。

「よろしくお願《ねが》いいたします」

白いカラスに案内《あんない》されて、ぼくたちが元の川原にもどってくると、ギィはつりをし
ながら待っていた。

「おかえり。どうやった?」

つり糸をたらしながらたずねるギィに、ぼくたちは事情《じじょう》をかんたんに説明《せつめい》した。

ギィは人間じゃないし、雪女に会いにいったことを知ってるから、かまわないだろう

と思ったのだ。

「そういうことやったんか」

何度もうなずくギィに、

「ギィも、できればほかの河童《かっぱ》たちにはだまっててくれへんか」

シンちゃんがいった。

口止めされたのは人間に対してだったけど、回覧板《かいらんばん》にのせてないということは、山の住民《じゅうみん》にもあまり広めてほしくないはずだ。

「わかった。なんか手伝《てつだ》えることがあったら、えんりょなくゆってくれ」

ギィはそういって、水かきのついた手で緑の胸《むね》を、ドン、とたたいた。


ギィと別《わか》れて川原をあとにすると、ぼくたちはまず、着物すがたの女の子を見ていないか、聞きこみをすることにした。

とはいえ、道ゆく人に、手あたりしだいに、

「小さな女の子を知りませんか?」

と聞いてまわったら、大さわぎになってしまう。

ぼくたちが最初《さいしょ》に足を向けたのは、七節《ななふし》神社だった。

町で一番古くからある場所だし、秋にはお祭りも開かれるので、山の住民《じゅうみん》にとってもなじみが深いはずだ。

神社では、ちょうど年配の神主《かんぬし》さんが、竹ぼうきを手に境内《けいだい》のそうじをしているところだった。

「こんにちは」

家が近所で、神社によく遊びにくるタクミが、神主《かんぬし》さんに声をかける。

「おう、タクミ。みんなそろって、お参《まい》りか？」

神主《かんぬし》さんがそうじの手を止めて目を細めた。

「あの……」

ソラが一歩前に出て聞いた。

「女の子をさがしてるんですけど、見かけませんでしたか？」

「女の子？　どんな子かな？」

「えっと、小学校の低学年《ていがくねん》くらいで、白い着物を着てるんですけど……」

「着物か……見てないなあ」

神主《かんぬし》さんは首をかしげて、「迷子《まいご》？」とたずねかえした。

「はい、まあ、そんなような……」

ソラが言葉をにごすと、

「大変《たいへん》やな。青年団《せいねんだん》に連絡《れんらく》しよか？」

神主《かんぬし》さんは心配そうに、ぐっと顔をつきだした。

「あ、いや、だいじょうぶです。しんせきの子なんですけど、たぶんいれちがいに家に帰ったんだと思います」

ソラは顔の前で手をふって、あわててごまかした。

聞きこみをするときは、たずねかたにも気をつけないと、めんどうなことになりそうだ。

「それより、この季節《きせつ》の七不思議《ななふしぎ》って、なにかないですか？」

ぼくはとっさに話をそらした。

七節《ななふし》神社は、別名七不思議《べつめいななふしぎ》神社とも呼《よ》ばれていて、旧暦《きゅうれき》の七月七日に七不思議《ななふしぎ》を集めると願《ねが》いがかなうといういいつたえがある。

引っこしてきた直後、ぼくはそのいいつたえがきっかけで、タクミたちと仲《なか》よくなったのだ。

「急にどうしたんや」

目を丸くする神主《かんぬし》さんに、

「じつは、冬休みの課題《かだい》で、この村に伝《つた》わる昔話や伝承《でんしょう》について調べていて……」

ぼくがいま思いついたいいわけを口にすると、

「うーん……冬に七不思議《ななふしぎ》があるかどうかはわからんけど、昔は夏よりも冬の方が、怪談《かいだん》はさかんやったみたいやで」

神主《かんぬし》さんは意外な事実を口にした。

「え？　そうなんですか？」

ぼくがおどろきの声をあげると、

「冬になると、雪が積《つ》もって出られへん日が続《つづ》くからな。そんなときは、みんなでいろりを囲《かこ》んで怪談話《かいだんばなし》をしたんや」

神主《かんぬし》さんは遠くを見つめながら語りだした。

「そういえば、小さいころ、祖父《そふ》からこんな話を聞いたことがあったな……」

雪の呼《よ》ぶ声

神主《かんぬし》さんのおじいさんのおじいさんにあたる百蔵《ももぞう》さんが、まだ若《わか》いころの話。
ある雪の夜。
となり村の寄《よ》りあいから帰るとちゅう、山をこえようとして、ふぶきにあった百蔵《ももぞう》さんは、山小屋でひと休みすることにした。
百蔵《ももぞう》さんが体中に降《ふ》りつもった雪をはらいおとして小屋にはいると、中には先客がいた。

年配の男性《だんせい》と若《わか》い男の二人が、パチパチと火を起こしたいろりを囲《かこ》んでいる。

「ひどい雪ですな。ほら、はやく火にあたりなさい」

年配の男性《だんせい》にうながされて、百蔵《ももぞう》さんはいろりに近づいた。

どうやら二人も知りあいというわけではなく、山ごえをしたところでふぶきにあって、たまたまここにたどりついたようだ。

しだいに日は暮《く》れ、気温も下がってくるが、外ではあいかわらず、雪混《ゆきま》じりの冷《つめ》たい風がふきあれている。

「どうだろう。ここはひとつ、百物語でも……」

顔をしわだらけにして笑《わら》いながら、年配の男性《だんせい》がいった。

たしかに、初対面同士《しょたいめんどうし》では打ちあけた話をするわけにもいかず、たいくつをしのぐなら怪談《かいだん》がぶなんといえた。

「いいですね」

百蔵《ももぞう》さんが同意する。若《わか》い男もうなずくのをたしかめると、ほのおに顔を白く照《て》らしながら、年配の男性《だんせい》は語りはじめた。

――ある雪深い村で、ひとりの男がのき先にさがる氷柱《つらら》を見て、

「こんな美しいよめさんがほしいなあ」

と思っていると、しばらくして、若《わか》い女がたずねてきた。

旅のとちゅうで宿をさがしているというその女を、男はひと目で気にいって、村にたいざいするよう引きとめた。

その後、二人は結婚《けっこん》するが、女はどういうわけか、一度もふろにはいろうとしない。

男がむりにすすめると、女はふろにはいったきり、今度は出てこなくなってしまった。

心配になった男がふろをのぞくと、女のすがたはなく、氷のかけらがわずかにういているばかりだった。

女は氷柱《つらら》の化身《けしん》だったのだ――。

氷柱女《つららおんな》と呼《よ》ばれる昔話で、百蔵《ももぞう》さんも知っている話だったが、男性《だんせい》の語り口がうま

いので、楽しく聞くことができた。

続《つづ》いて若《わか》い男が、旅先で宿にとまったときの体験《たいけん》を話しだした。

――夜、部屋でひとり横になっていると、ふとだれかに見られているような気がする。あたりを見まわすが、部屋には自分しかいないし窓《まど》や障子《しょうじ》が開いている様子もない。なんだろうと思っているうちに、じょじょに暗やみに目がなれてきて……。気がつくと、天井《てんじょう》いっぱいに広がった女の顔が、男をじっと見おろしていた――。

そんな話だった。

「それじゃあ、つぎはわたしの番ですね」

思いがけないラストにゾッとした百蔵《ももぞう》さんが、夢《ゆめ》まくらにあらわれた白いヘビの話をしようとしたとき、
バタンッ！

いきおいよく戸が開いて、体の大きな男が小屋に転がりこんできた。

旅人のような身なりをしているが、荷物はなく、真っ青な顔でガタガタとふるえている。

「だいじょうぶですか。さあ、どうぞいろりのそばへ」

百蔵《ももぞう》さんが声をかけるが、火にあたっても、男の顔色は変《か》わらなかった。

「なにかあったんですか？　いや、ちょうどいま、百物語をしていましてね……」

もしかして、なにかおそろしい思いでもしたのだろうかと思い、百蔵《ももぞう》さんがそういうと、

「だったら、おれの話を聞いてくれ」

男は暗い目つきで百蔵《ももぞう》さんたちの顔を見まわして、話しはじめた。

――あるところに、悪事を犯《おか》してにげている男がいた。

つかまれば、死罪《しざい》はまぬがれない。

追手がせまっていることに気づいた男は、つかまる前に、せめて生まれ故郷《こきょう》をひと

目見ようと、雪の積《つ》もった山に足をふみいれた。

しかし、とちゅうで足をすべらせて、がけの下に落ちてしまった。

どれだけ気を失《うしな》っていたのか、目が覚《さ》めたときには、あたりはすっかり暗くなっていた。

ふらつきながら、男がなんとか歩きだそうとすると、

「おーい……おーい……」


どこからか、人の呼《よ》ぶ声が聞こえてきた。

追手かと思って、とっさに身をかくしたが、考えてみれば、悪人を追いかける者が「おーいおーい」と呼《よ》びかけるわけがない。

もしかしたら、だれかが雪にうまって、

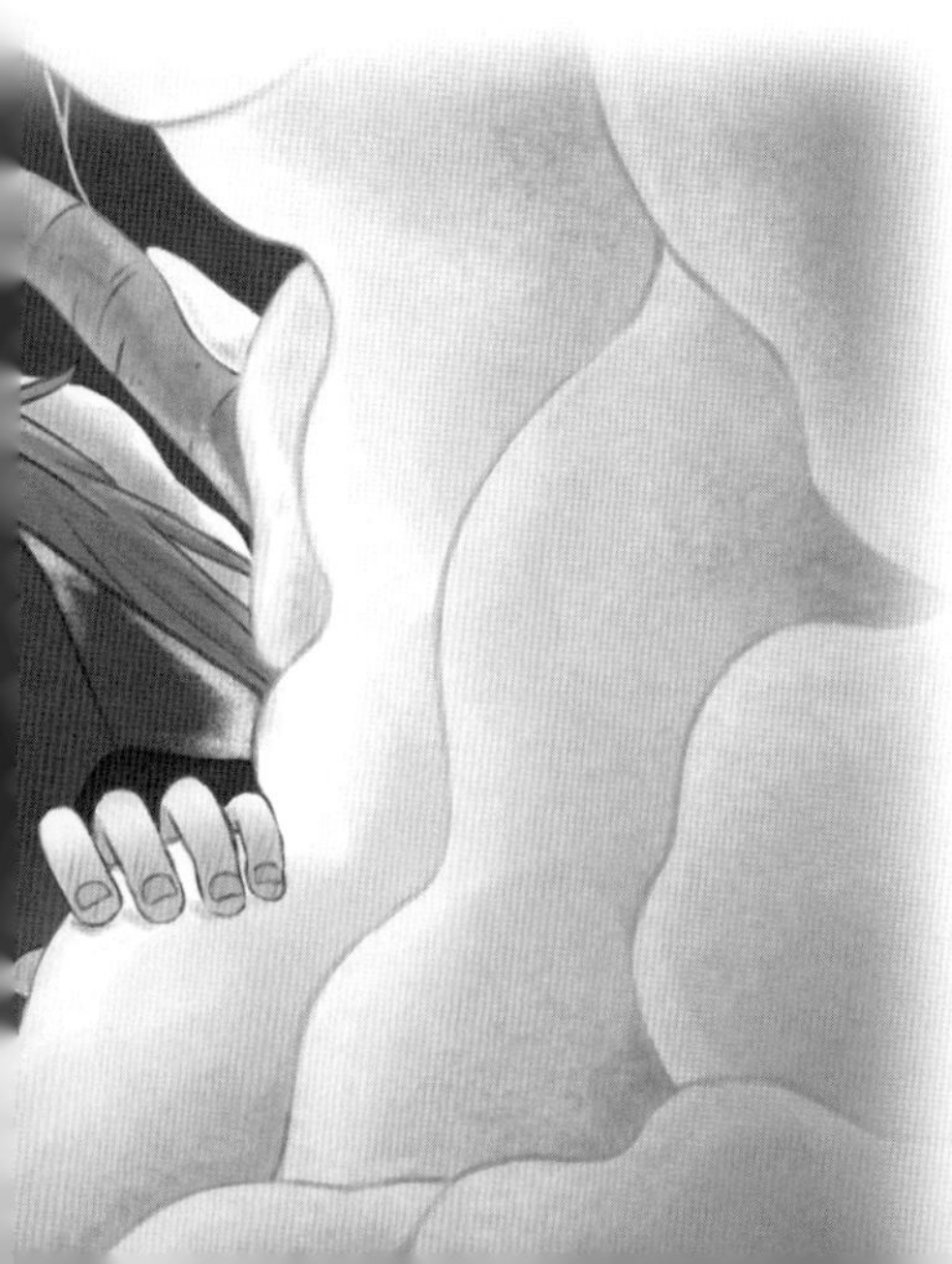

助けを求《もと》めているのかもしれない。
男は声の主をさがした。
助けるためではなく、もし金を持っていたら、うばおうと思ったのだ。

「おーい……おーい……」

声をたよりにがけの下を歩きまわっていると、やがて大きな木の根元の雪だまりから、か細い声が聞こえてくることに気がついた。

「おーい………おーい………」

声はいまにもとぎれてしまいそうだ。

男がひざをついて、雪をかきわけると——。

「——雪の中から出てきたのは、自分の顔だったんだ」

そういって、男は引きつったような笑《え》みをうかべた。

「きっと、がけから落ちたときに、もう死んでたんだな」

話しおわると同時に、男の頭から血が流れおちて、そのままスーッと消えてしまった。


「あとから、その男が本当に凶悪《きょうあく》なおたずね者やったことがわかったらしい」

神主《かんぬし》さんがそういって、話をしめくくったとき、山からふきおろした風が、かん高い音をたてて境内《けいだい》を通りぬけていった。

たしかに不思議《ふしぎ》な話だけど、雪娘《ゆきむすめ》をさがす手がかりにはなりそうにないな、と思っていると、

「あの……冬に出る妖怪《ようかい》っていますか?」

ソラがたずねた。

「冬の妖怪《ようかい》？　雪女とか雪男のことかな？」

神主《かんぬし》さんの質問《しつもん》に、ソラは首を横にふった。

「できれば、もっと街《まち》なかに出てくるような妖怪《ようかい》がいいんですけど……」

「うーん……」

神主《かんぬし》さんは、灰色《はいいろ》の空を見あげて考えこむようなそぶりをしてから、あっ、と声をあげた。

「そういえば、何年か前に九十九《つくも》公園のあたりで、雪ぼっこを見たって話を聞いたことがあったな」

「雪ぼっこ？」

タクミが聞きかえす。

神主《かんぬし》さんによると、雪ぼっこというのはいたずら好《ず》きの妖怪《ようかい》で、雪が積《つ》もると落とし穴《あな》をほったり、雪だるまに化けて、とつぜん「わっ！」とおどかしてきたりするのだそうだ。

ぼくたちは神主《かんぬし》さんにお礼をいって、神社をあとにすると、公園へと向かった。

九十九《つくも》公園は、新しい住宅街《じゅうたくがい》の中にある小さな公園で、もともと山だったところを切りひらいたためか、いまでもたまに不思議《ふしぎ》な現象《げんしょう》がもくげきされるらしい。

「雪娘《ゆきむすめ》ちゃん、雪ぼっこのところにいるのかなあ」

と、ソラがいうと、

「どうやろな……」

シンちゃんは歩きながら、首をかしげた。

「同じ雪の妖怪《ようかい》のとこにかくれたら、すぐにばれるんとちゃうか？」

「けど、冬の百物語って、おもしろそうやな」

タクミが頭の後ろで手を組みながら、のんきにいう。

「そう？　よけいに寒くなるんじゃない？」

ソラがマフラーを巻《ま》きなおすしぐさを見て、タクミがふと思いだしたように口を開いた。

「そういえば、こんな話を聞いたんやけど……」

赤いマフラー

あるところに、一年中赤いマフラーを首に巻《ま》いている女の子がいました。

あるとき、小学校の同級生の男の子が、その女の子に聞きました。

「どうしていつもマフラーをしているの?」

「中学生になったら教えてあげる」

女の子は答えました。

やがて、二人は同じ中学校に進みました。

ある日の帰り道、男の子が女の子に聞きました。

「どうしていつもマフラーをしているの?」

女の子はちょっと困《こま》った顔で答えました。

「高校生になったら教えてあげる」

二人は同じ高校に進んで、付《つ》きあいはじめました。

デートの帰り道、男の子は女の子にたずねました。

「どうしていつもマフラーをしているの？」

女の子は少しさびしそうな顔でいいました。

「大学生になったら教えてあげる」

二人はべつべつの大学に進みましたが、
お付《つ》きあいは続《つづ》いていました。

「どうしていつもマフラーをしているの？」

彼《かれ》が聞くと、彼女《かのじょ》は切なげにほほえんでいいました。

「結婚《けっこん》したら教えてあげる」

大学を卒業《そつぎょう》すると、二人は結婚《けっこん》しました。

結婚《けっこん》式のあと、彼《かれ》は彼女《かのじょ》に聞きました。

「どうしていつもマフラーをしているの？」

「もう、かくしておけないわね」

彼女《かのじょ》がマフラーを外すと、彼女《かのじょ》の首が取れて、ごろごろと転がりました。

言葉を失《うしな》っている彼《かれ》の足元で、彼女《かのじょ》が悲しそうな顔で彼《かれ》を見あげながらいいました。

「わかった？」

その後、町では赤いマフラーと青いマフラーをつけた仲《なか》のいい夫婦《ふうふ》がもくげきされるようになったということです。

タクミが話しおわると、ぼくたちはソラの首元に目を向けた。
「……なに？」
ソラがその視線《しせん》に気づいて、
「わたしはだいじょうぶよ。ほら」

ちょっとおこったように口をとがらせながら、マフラーをパッと外す。

そのしゅんかん、ひときわ冷たい風がふいて、ソラが寒そうに首をちぢめながら、大きなくしゃみをした。

それを見て、ぼくたちは声をあげて笑った。


寒い中にもかかわらず、九十九《つくも》公園は小さな子どもたちでいっぱいだった。

ぼくたちが公園に足をふみいれると、

「あれ？　ヒデヨシのねーちゃん」

サッカーをしていた男の子のひとりが、遊具の間をぬうようにして、かけよってきた。

どうやら、ソラの弟の友だちのようだ。

「カズキじゃない。家はこのへんなの？」

カズキと呼《よ》ばれた男の子は、赤く上気した顔でうなずくと、公園の正面にある二階建《だ》ての家を指さした。

「うち、ここなんだ」

「へーえ。それじゃあさあ……」

ソラは背中《せなか》を丸めて、カズキに顔を近づけた。

「このあたりに、雪ぼっこっていう妖怪《ようかい》が出るっていううわさを聞いたんだけど、知ってる？」

「雪ぼっこ？」

カズキは首をかしげた。

「なんや、それ」

「雪の日にあらわれる、いたずら好《ず》きの妖怪《ようかい》らしいんだけどね……」

ソラの言葉を聞いて、カズキはしばらくきおくをさぐるように、ちゅうを見つめて考えていたけど、やがて、ハッと表情《ひょうじょう》をかえると、

「それやったら、あれのことかな？」

たどたどしい口調で語りはじめた。

「去年の話なんやけど――」

雪の足あと

ちょうど一年前の冬休みのこと。

学校が休みでテンションがあがっていたたカズキが、いつもよりもはや起きをして、二階の自分の部屋の窓《まど》から見おろすと、夜中に降《ふ》りつもった雪が、公園を白くおおっていた。

カズキは階段《かいだん》をおりると、パジャマの上からコートをはおって、家の外に飛《と》びだした。

だれもふんでいない、まっさらな雪の上に足あとをつけたかったのだ。

ところが、目をはなしたほんの一分ほどの間に、公園には子どもが走りまわったような足あとが、くっきりとつけられていた。

カズキは公園を見まわしたけど、どこにも人かげはない。

どうやら、階段《かいだん》をおりている間に、だれかがかけまわっていったようだ。

どうしても一番に雪をふみたかったカズキは、また雪が降《ふ》ったつぎの日、今度はもっとはやく起きて窓《まど》を開けた。

公園では、まだだれにもあらされていない白い雪が、朝日を反射《はんしゃ》してキラキラとかがやいている。

カズキは急いで階段《かいだん》をかけおりて、パジャマのまま外に飛《と》びだした。

すると、入り口についたカズキの目の前で、

サク、サク、サク……


雪をふむ音とともに、だれもいない公園に、足あとだけが出現《しゅつげん》していった。

こわいというよりも腹《はら》が立ったカズキが、

「だれだよ！」

と、どなると、

「きゃははははっ！」

子どものような笑《わら》い声が、ジャングルジムのてっぺんから聞こえてきて、そのまま天高くのぼって消えた。


「だれに話しても、うそだっていうんだけどさ……」

話しおわって、ほおをふくらませるカズキに、

「信《しん》じるよ」

シンちゃんは、ポンとかたをたたいていった。

だけど、カズキによると、今年の冬はまだ雪が降《ふ》らないせいか、なにもおかしなことは起こっていないそうだ。

「ありがとう」

ぼくたちはカズキにお礼をいって、陽が暮《く》れはじめた公園をあとにした。

「けっきょく、手がかりは見つからんかったな」

住宅街《じゅうたくがい》の中を歩きながら、タクミがかたを落とす。

「しょうがないよ。まだ一日目なんだし」

ぼくはみんなを元気づけるようにいった。

「明日はもっと、はんいを広げてさがしてみようよ」

「そうやな」

ぼくの提案《ていあん》に、シンちゃんがうなずいたとき、

カー、カー、カー

目の前に、白いカラスが舞《ま》いおりてきた。

まわりには、ほかの通行人もたくさんいたので、いっしゅんドキッとしたけど、だれもカラスに気づいた様子はない。

ギィのいうとおり、ふつうの人には見えないみたいだ。

「今日は見つからんかったわ」

シンちゃんが小声で報告《ほうこく》して、首をふってみせると、カラスはぼくたちの頭上でくるりとひと回りして、山の方へと飛《と》びさっていった。

あっという間に見えなくなる、そのすがたを見送りながら、

「……見つけた方がいいのかな」

ソラがポツリとつぶやいた。

「どうしたんや、急に」

タクミがおどろいたように、ソラの顔をのぞきこむ。

「だって、雪娘《ゆきむすめ》ちゃんは雪女をつぎたくないんでしょ？　それなのに、本当に連《つ》れもどさないといけないのかな、と思って……」

視線《しせん》を足元に落としながら、ソラは答えた。

「それは……」

シンちゃんがとまどいながらもいいかえす。

「けど、だれかが雪女のあとをつがんかったら、雪が降《ふ》らへんやろ？」

ソラはかすかにうなずいて、そのままだまってしまった。

暗くなりはじめた道の向こうに天河山《てんかわやま》が見える。

あの山で雪女は、どんな気持ちで待っているのだろう、とぼくは思った。


その日の夜。

明日から冬休みということで、いつもより夜ふかしをして、母さんとこたつでテレビを見ていると、父さんが帰ってきた。

「ただいま」

「おかえりなさーい」

ぼくが声をかけると、

「なんや。まだ起きてたんか?」

コートをぬぎながら居間《いま》にきた父さんは、ちょっとおどろいた顔をした。

お茶の準備《じゅんび》に立ちあがった母さんといれちがいに、父さんがこたつにはいると、

「ねえ」

ぼくは身を乗りだした。

「父さんは、将来《しょうらい》、ぼくにお店をついでほしいと思う？」

とつぜんの質問《しつもん》に、父さんは大きく目を見開くと、しばらくの間、じっとぼくを見つめていたけど、やがて、

「リクはどうしたい？」

と、反対に聞いてきた。

「ぼくは……まだわからないな」

自分で聞いておきながら首をひねると、父さんはにっこり笑《わら》って、

「お前はお前の好《す》きにすればええよ。父さんがそうしたようにな」

といった。

そして、母さんが持ってきた湯飲みを受けとって、熱《あつ》いお茶をひと口飲むと、

「リクがつぎたくなったときのために、店をつぶさんよう、がんばらなあかんな」

そういって、ぼくの頭をクシャッとなでた。

冬休みの第一日目。
ぼくたちはお昼《ひる》過《す》ぎに、だがし屋の前で集合する約束《やくそく》をしていた。
厚《あつ》い雲におおわれた空を見ながら、田んぼの間を歩く。朝からずっと冷《つめ》たい風がふいているけど、今日もいまのところ雪が降《ふ》りそうな気配はなかった。
お店に到着《とうちゃく》すると、先にきていたシンちゃんとタクミが、店先のベンチでふくろの粉《こな》をつけながら、棒《ぼう》つきのキャンディを食べていた。

「あら、いらっしゃい」

お店のおくから出てきたおばちゃんにお金をわたして、同じものを買う。

前に住んでいた町では、お店といえばコンビニかスーパーかショッピングモールだったので、レジのないところで、直接《ちょくせつ》お金をわたしてなにかを買うというのが、なんだかしんせんだった。

ぼくが二人のとなりでキャンディを食べていると、

「三人そろって、なにしてるのよ」

ソラがあらわれて、こしに手をあてながらあきれた声をあげた。

昨日《きのう》の様子から、もしかしたらこないかも、と思ってたんだけど、ソラいわく、

「とにかく、本人をつかまえて、話を聞いてみないとわからない」

と、頭を切りかえたのだそうだ。

四人そろったので、ぼくたちはさっそく調査《ちょうさ》を再開《さいかい》することにした。

まずはおたがいの報告《ほうこく》だ。

昨日《きのう》は「家の人に、町に出てくる冬の妖怪《ようかい》について聞いてくる」という課題《かだい》をそれ

ぞれ持ちかえったけど、しゅうかくがあったのはシンちゃんだけだった。

「じいちゃんに聞いたんだけどさ……」

シンちゃんは、そう前置《まえお》きをして話しはじめた。

泥田坊《どろたぼう》

昔々の話。
あるところに、老夫婦《ろうふうふ》が住んでいた。
夫婦《ふうふ》には息子がひとりいたが、この息子がなまけ者で、昼間から酒を飲んでは遊びあるいて、まったく働《はたら》こうとしない。
しかたなく、夫婦《ふうふ》が小さな田んぼを耕《たがや》して生計《せいけい》を立てていたのだが、あるとき、妻《つま》が病《やまい》にたおれて亡《な》くなってしまった。

それでも息子は働《はたら》こうとしない。

父親がひとりで農作業を続《つづ》けているのを見て、田んぼを売ってはどうかとすすめる人もいたが、先祖《せんぞ》代々の土地を明けわたすわけにはいかんと、ぜったいに売ろうとはしなかった。

やがて、そんな父親も寄《よ》る年波《としなみ》には勝てず、ついに死のとこについた。

それでもまくら元に息子を呼《よ》んで、

「あの田は決して売るな。ちゃんと耕《たがや》すんだ」

といいつづけた。

しかし、父親が死んだとたんに、息子はいいつけを破《やぶ》って田んぼを売ってしまった。

息子がその金《かね》で昼間から酒を飲んでいると、

「おい、このやろう!」

田んぼを買った男が、けっそうを変《か》えてどなりこんできた。

「あの田はなんだ!　化けものが出るじゃねえか!」

おどろいた息子が事情《じじょう》を聞くと、田んぼを耕《たがや》そうとした男の前に、泥《どろ》の中から人の形をした化けものがあらわれて、

「田を返せ～、田を返せ～」

と、背《せ》すじがこおるような声でうったえるというのだ。

あんな田んぼはいらない、返すから金《かね》を返せとさわぐ男を、なんとかなだめて帰ってもらうと、息子はたしかめにいった。

前日の雪がとけて、ぬかるんでいる田んぼの中に足をふみいれる。

しかし、いくら待ってみても、なにも起こらない。

なにかの見まちがいか、金《かね》がおしくなってうそをついたのだろうと、息子が安心して帰ろうとしたとき、

バシャッ！

足元から泥《どろ》人形《にんぎょう》が

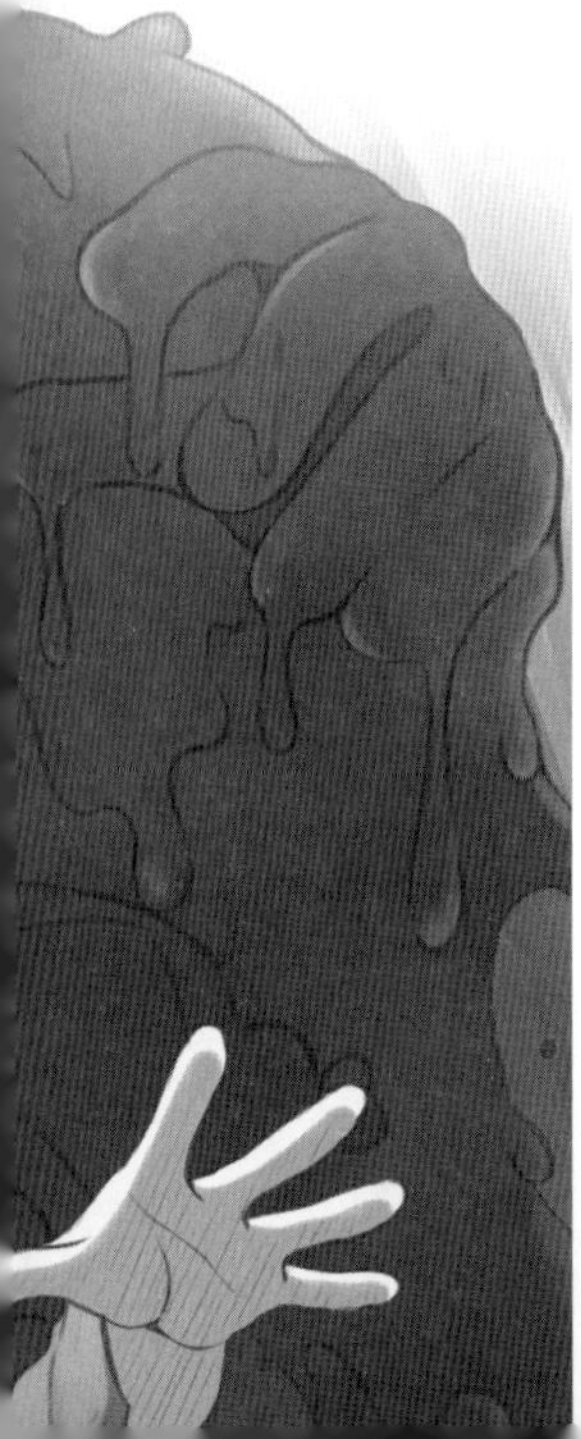

とつぜんあらわれて、
息子におおいかぶさった。

「田を返せ〜、
田を返せ〜」

「ひゃーーーっ！」

息子は悲鳴をあげながら、そのままズブズブと泥《どろ》の中へと引きずりこまれていった。

翌日《よくじつ》。

息子が帰ってこないことを心配したしんせきが様子を見にいくと、昨日《きのう》まではなかった案山子《かかし》が、田んぼの真ん中に立っていた。

その案山子《かかし》は息子そっくりの顔をしていて、まるで助けを求《もと》めるように、大きく顔をゆがめていたということだ。

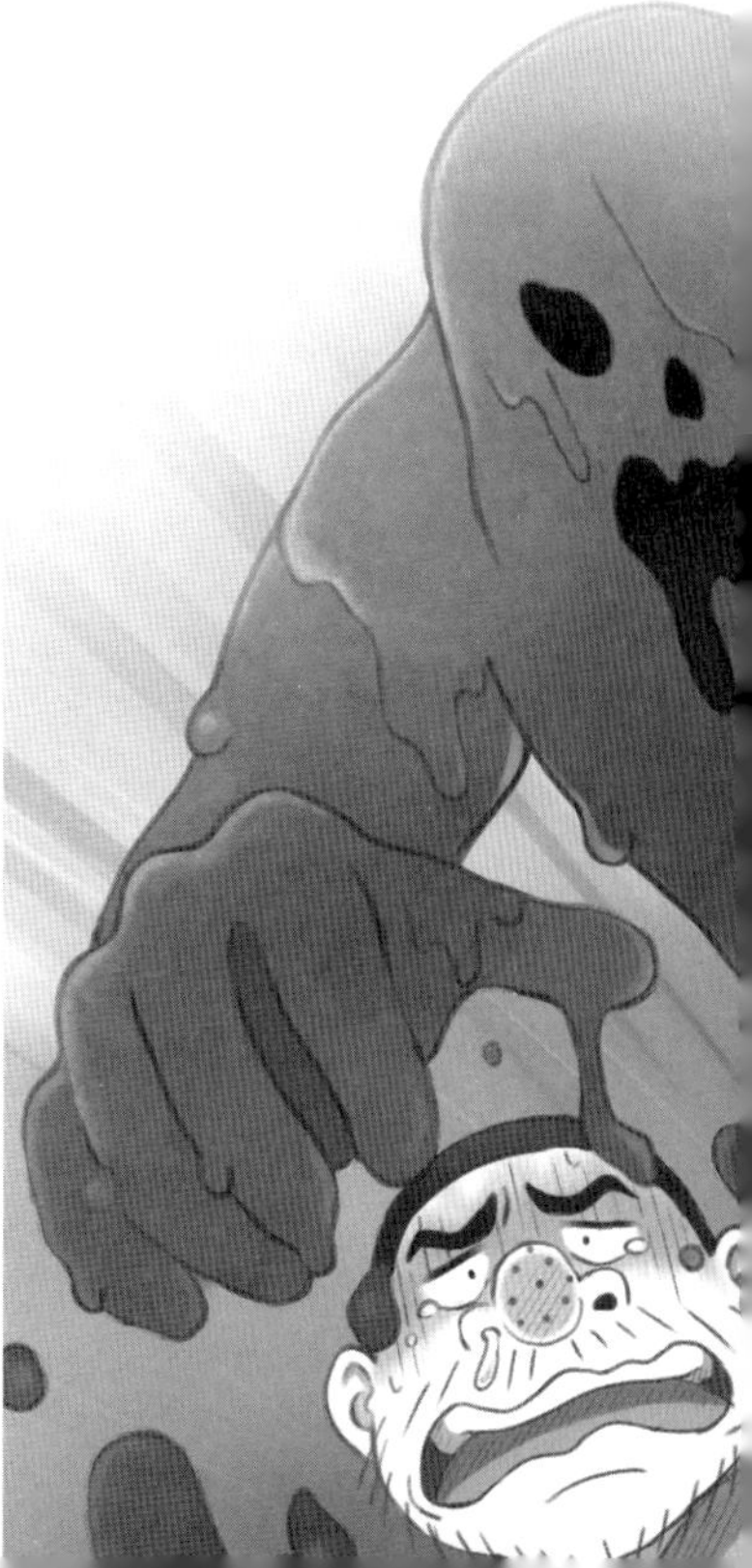

「その田んぼが、町のどこかにまだ残《のこ》ってるんやって」

シンちゃんはそういって、話を終えた。

どこにあるのか、正確《せいかく》な場所はわからないらしい。

だけど、もしわかったとしても、あまり近づきたくない相手だった。

それに、雪娘《ゆきむすめ》が泥田坊《どろたぼう》に助けを求《もと》めにいくとも思えない。

ちょうどキャンディも食べおわったので、ぼくたちは聞きこみをはじめることにした。

ひとり目はもちろん、だがし屋のおばちゃんだ。

「あの……」

代表して、シンちゃんが雪娘《ゆきむすめ》のとくちょうを伝《つた》えると、

「白い着物の女の子？」

おばちゃんはしばらくの間、きおくをさぐるように宙《ちゅう》を見つめていたけど、やがて、

「そんな子がいたら目立つと思うんだけど……覚《おぼ》えがないわねえ」

そういって、申しわけなさそうにまゆを八の字にした。

「ごめんなさいね」

「そうですか……」

がっくりとかたを落とすシンちゃんに、

「でも、どうしてその子をさがしてるの？」

おばちゃんが聞いてきたので、

「じつは……」

シンちゃんが説明《せつめい》をはじめた。

――昨日《きのう》の午後、川原で遊んで帰ろうとすると、土手の上で、かわいらしいきんちゃくぶくろを拾った。

そういえば、遊んでいるときに、白い着物すがたの女の子が通りかかったような気がする。

見覚《みおぼ》えのない子だったので、もしかしたら、だれかのしんせきが遊びにきてるのかもしれない。

きんちゃくぶくろは交番にとどけたけど、気になるので、自分たちでもその女の子のゆくえをさがしている――。

ゆくえ不明《ふめい》の女の子をさがしているといったらさわぎになるため、昨日《きのう》の帰りに、どういう理由で聞きこみをするか、打ちあわせておいたのだ。

おばちゃんは、最後《さいご》まで疑《うたが》うことなく、しんけんな顔で話を聞きおえると、

「低学年《ていがくねん》くらいの、髪《かみ》の長い女の子ねぇ……着物じゃなかったら見かけたんだけど……」

といった。

「え？」

タクミが聞きかえす。

「どんな服装《ふくそう》でしたか？」

「たしか、グレーのズボンに黒のダウンジャケットだったかな。ダウンはぶかぶかだったから、たぶん大人用だと思うわ」

おばちゃんの言葉に、ぼくたちは顔を見あわせた。

おばちゃんはその子のことを、町に遊びにきたふつうの女の子だと思ってるから、

洋服を着ていても不思議《ふしぎ》には思わないけど、それが家出した雪娘《ゆきむすめ》だと知っているぼくたちには予想外だったのだ。

だけど――

山にはときおり、処分《しょぶん》に困《こま》ったごみが捨《す》てられることがある。

もしかしたら、雪娘《ゆきむすめ》は町で目立たないように、ごみの中から使えそうな服を拾って山をおりたのかもしれない。

おばちゃんによると、昨日《きのう》の夕方、店の前のベンチで低学年《ていがくねん》くらいの女の子が、ひとりでおかしを食べていると、ダウンを着た女の子が通りかかったらしい。

その子が足を止めてじっと見つめていると、ベンチの子が「食べる?」と声をかけた。

二人はベンチにならんでおかしを食べると、そのまま連《つ》れだって、立ちさったのだそうだ。

「ベンチにすわってた女の子の名前って、わかりますか?」

ソラが身を乗りだす。

DAGASHI

「名前はわからないけど、何度か見たことあるから、七節《ななふし》小の子だと思うわよ。赤いふちのめがねをかけて、髪《かみ》は頭の両がわでくくってたわね」

おばちゃんのせりふを聞いて、ソラがいった。

「もしかしたら、ヒデヨシに聞けばだれかわかるかも」

「その二人、どっちにいきました？」

タクミの問いに、おばちゃんは店の前に出ると、天河山《てんかわやま》に背《せ》を向けて、七節《ななふし》小学校がある方向を指さした。


学校のグラウンドでは、少年野球のチームが練習をしていた。

金あみごしに、赤いめがねをかけた女の子はいないかとさがしていると、

「あら、みんなそろって、どうしたの？」

校門から、増田《ますだ》先生がひょっこりと顔を出した。

ぼくたちは先生に、さっきだがし屋でしたのと同じ話をしてから、

「ぼくたちが見たときは、白い着物を着てたんですけど、だがし屋さんで聞いたら、

昨日《きのう》はグレーのズボンに黒いダウンジャケットを着てたみたいなんです」

と、つけくわえた。

「えっと……それって、何時ごろの話？」

先生が首をかしげた。

「たぶん、夕方ぐらいだと思います」

ぼくの言葉に、先生はしばらく「うーん……」となっていたけど、やがて顔をあげて、申しわけなさそうに、

「見てないわね」

と首をふった。

「白い着物にしても、大人もののダウンにしても、そんなの着てたら、けっこう目立つと思うんだけど……」

「あの……」

ソラが前に進みでていった。

「ちなみに、この学校って妖怪《ようかい》が住んでたりします？」

「え？　妖怪《ようかい》？」

先生は目を丸くして聞きなおした。

「急にどうしたの？」

「冬休みに、この村のいいつたえとか、昔話について調べたいなと思ってるんです」

ソラの答えに、先生は「それはいいわね」と感心したようにうなずくと、

「妖怪《ようかい》かあ……」

遠くにかすむ天河山《てんかわやま》をながめた。

「あの山は、天狗《てんぐ》と河童《かっぱ》が住んでるから天河山《てんかわやま》って呼《よ》ばれてるらしいけど……」

「先生は見たことあるんですか？」

ぼくがたずねると、

「わたし？」

先生は、にっこり笑《わら》ってこっちを向いた。

「そうね。子どものころは見えてたかも……」

と、そこまでいいかけて、先生がふと、ぼくたちの頭上に視線《しせん》を向けた。

つられたようにふりかえると、あの白いカラスが報告《ほうこく》をさいそくするように、くるくると円をえがいて飛《と》んでいる。

シンちゃんが小さく首を横にふってみせると、カラスはうなずくようなしぐさをして、山へと帰っていった。

なんだか見張《みは》られてるみたいだな、と思っていると、

「増田《ますだ》せんせーい」

校舎《こうしゃ》の方から先生を呼《よ》ぶ声がした。

先生は「はーい」と返事をして、

「それじゃあ、あまりおそくならないように帰るのよ」

そういうと、校門の内がわへとすがたを消した。

その日は夕方から、ソラとシンちゃんは塾《じゅく》、タクミは家の手伝《てつだ》いがあったので、ぼくたちは学校の前で解散《かいさん》した。

ぼくはいったん家に帰ると、少しだけ冬休みの宿題をしてから、学校にもどった。

冬のはやい夕暮《ゆうぐ》れがあたりをつつんで、毎日通う道のりが、みょうによそよそしく感じられる。

学校につくと、ちょうど校門から、増田《ますだ》先生が出てくるところだった。

先生はぼくのすがたを見つけて、びっくりしたように目を見開くと、足を止めた。

「リクくん、どうしたの？　わすれもの？」

「あ、いえ……」

家から学校までの間、どうやって話を切りだそうか、ずっと考えていたんだけど、けっきょくぼくは思ってることをそのまま口にした。

「先生は、もしかして大人になったいまでも妖怪《ようかい》が見えるんじゃないですか？」

「……どうして？」

目をぱちくりとさせる先生に、ぼくは「カラスです」といった。

「さっきの白いカラス、ふつうの人間には見えないはずなんですよ」

ぼくたちがカラスに気づいたのは、先生がぼくたちの背後《はいご》に視線《しせん》を向けたからだ。

そして、あのカラスは山のものか、雪女に選《えら》ばれた人間にしか見えないと、ギィは話していたのだ。

「白いカラス？　そんなのいたかしら……」

先生は首をかしげた。

「よくわからないけど、先生は気づかなかったな。ぐうぜんじゃない？」

ごまかそうとする先生に、ぼくは続《つづ》けていった。

「それに、先生はぼくたちがさがしてる女の子も見てますよね？」

さっき、ぼくは女の子の服装《ふくそう》について、「黒いダウンジャケット」としか伝えなかったのに、先生は「大人もののダウン」といっていた。

つまり、女の子をもくげきしているのに、それをかくしているということだ。

先生の話を聞いたとき、なにかが引っかかったけど、どこがおかしいのかはわからなかった。

家に帰って、その理由に気づいたので、学校にもどってきたのだ。

ぼくが話しおえると、だまって聞いていた先生は、ふーっと息をはきだして、

「あれはうっかりしたわね。ダウンがあんまりぶかぶかだったから、つい――」

苦笑《にがわら》いしながら、かたをすくめた。

「それじゃあ、やっぱり知ってるんですか？」

ぼくがつめよると、

「知ってるというか……」

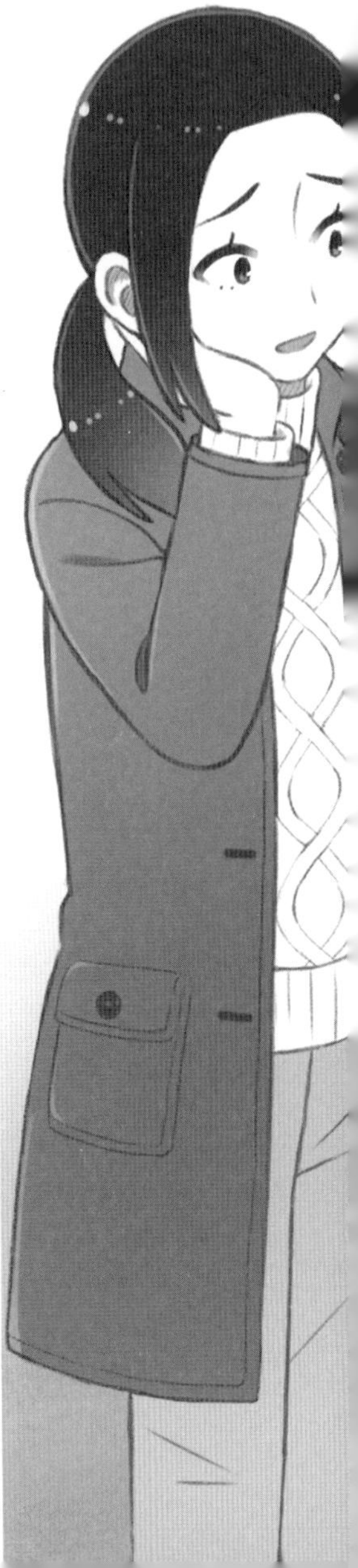

先生はいたずらっぽい笑《え》みをうかべていった。

「うちでかくまってるの。あのダウンとスウェットの上下も、わたしが貸《か》してあげたのよ」

「えっ?」

ぼくはのどのおくがつぶれたような声をあげた。

もしかしたらゆくえを知ってるかも、とは思ったけど、さすがにそこまでは予想していなかった。

「よかったら、いまからうちにくる?」

先生がそういって返事を聞かずに歩きだしたので、ぼくはあわててあとを追った。

学校の裏手《うらて》にぐるりと回って、石だたみの坂道をのぼりだす。

人通りのほとんどない古い町なみの中を歩いていると、先生はとつぜんささやいた。

「リクくん、秘密《ひみつ》を守れる?」

「秘密《ひみつ》、ですか?」

ぼくはきんちょうしながらくりかえした。

「じつはね……」

先生は歩きながらぼくの顔をのぞきこむと、ゆっくりとほほえんで静《しず》かな声でいった。

「わたし、雪女の血を引いてるの」

風もないのに、まわりの気温が急にさがったような気がして、ぼくはブルッと身をふるわせた。

「それって、どういう……」

ぼくがかすれた声で聞きかえすと、先生はぼくの目をじっと見つめて、それから、フフッと笑《わら》った。

「そんなにおびえなくてもだいじょうぶよ。血を引いてるだけで、ふつうの人間とほとんど変《か》わらないから」

——昔々、天河山《てんかわやま》にひとりの雪女が暮《く》らしていた。

ある日のこと。山賊《さんぞく》が山をこえて、村をおそおうとした。

まだ雪にははやい晩秋《ばんしゅう》だったが、雪女は大雪を降《ふ》らせて山賊《さんぞく》を山に閉《と》じこめ、村を救《すく》った。

　神社の遠縁《とおえん》にあたる若者《わかもの》が、村を代表してお礼を告《つ》げにおとずれ、二人はそのまま恋《こい》に落ちた。

　二人は夫婦《ふうふ》のちかいを交わしたが、雪女は山をおりることができないし、男は村に仕事があったので、ふだんはべつべつに暮《く》らして、ときおり男が山に住む雪女をたずねる、という生活を続《つづ》けていた――。

「まあ、いまでいう『週末婚《しゅうまつこん》』ってやつね」

　先生は昔話を中断《ちゅうだん》すると、そんなふうにいって笑《わら》った。

　どうやら、ぼくがばあちゃんから聞いた話は、事実とは少しちがっていたみたいだ。

大きなおやしきの角を曲がりながら、先生は話を続《つづ》けた。


――二人の間には三人の娘《むすめ》が生まれた。

娘《むすめ》たちが成長《せいちょう》すると、男は家をゆずって、自分たちは山で暮《く》らすようになった。

男はどんどん年老《としお》いていくが、雪女は出あったころとまったく変《か》わらない。

やがて、男に寿命《じゅみょう》がおとずれて、雪女は男を看《み》とると、さらに山のおくへとはいっていった――。


村で暮《く》らしていた三人の娘《むすめ》は、それぞれ相手を見つけて結婚《けっこん》し、さらに子どもが生まれた。そのうちのひとりが、増田《ますだ》先生のお母さんだった、というわけだ。

つまり、先生は雪女から見たらひ孫《まご》にあたり、雪女の血が八分の一だけ流れているということになる。

「それじゃあ、先生も雪女みたいに雪を降《ふ》らせることができるんですか?」

ぼくがたずねると、先生は笑《わら》って首を横にふった。

「そんな力はないの。スーパーで買ったアイスを、冷《ひ》やしたまま持ってかえれるくらい。まあ、ドライアイスみたいなものね」

ちなみに、ご両親は先生が大学に進学して町を出るのと同時に、仕事の関係《かんけい》で北海道に引っこしていったらしい。

話を聞いていくうちに、ぼくの頭にある疑問《ぎもん》がうかんだ。

「でも、雪女の一族は天河山《てんかわやま》や七節町《ななふしちょう》から出られないんじゃ……」

「母さんやわたしぐらい雪女の血がうすれると、はなれることができるみたいね。冴子《さえこ》おばさんとか、雪子ちゃんみたいな直系《ちょっけい》はむりだけど……」

「冴子《さえこ》おばさん？」

ぼくが聞きなおすと、先生は笑《わら》って、

「白いカラスが見えてるっていうことは、あなたたちも会ってるんじゃない？」

といった。

どうやら、あの雪女が冴子《さえこ》おばさんで、雪娘《ゆきむすめ》が雪子ちゃんのようだ。

直系《ちょっけい》の雪女は、人間の子どものように生まれるのではなく、雪から直接《ちょくせつ》生みだされるらしい。

「先生は雪娘《ゆきむすめ》――雪子ちゃんのことを知ってたの？」

「わたしが子どものころ、何度か会ったことがあるの」

先生はなつかしそうに目を細めた。

おさないころは、毎年お正月になると両親に連《つ》れられて、雪女をたずねていたのだそうだ。

だけど、大きくなるにつれてその回数も減《へ》り、大学に入学してからは、実家もないので町に帰ることもなく、まったく会っていなかった。

そんな先生が雪子ちゃんとひさしぶりに再会《さいかい》したのは、今年の秋のことだった。

教員になって、母校でもある七節《ななふし》小学校にふにんした先生が、天河山《てんかわやま》のふもとを散歩《さんぽ》していると、雪子ちゃんの方から声をかけてきたのだ。

それ以来《いらい》、二人は雪女にないしょで、たまに会うようになった。

「どうして、ないしょなんですか？」

「雪子ちゃんは、本当は山をおりたらいけないっていわれていたの」

冴子《さえこ》おばさんは昔ながらの雪女の生活を守る厳《きび》しい人だけど、雪娘《ゆきむすめ》は新しいもの好《ず》きで、以前《いぜん》から人間の世界に興味《きょうみ》があった。

「わたしも悪いのよね」

先生はまゆを寄《よ》せた。

「雪子ちゃんに、町の暮《く》らしは楽しいわよとか、そそのかすようなことをいっちゃったから」

町を出るとき、ご両親といっしょに山にあいさつにいった先生だったが、もどってからは連絡《れんらく》を取っていなかった。

厳《きび》しい冴子《さえこ》おばさんのことが、先生も苦手なのだそうだ。

だから、今回も雪子ちゃんは、真っ先に先生のことをたよってきたのだろう。

雪子ちゃんがたずねてきたのは、いまから三日前――終業式の前々日のことだった。

「わたしが学校から帰ったら、アパートの前で待ってたの」

おどろいた先生が、部屋にいれて話を聞くと、雪子ちゃんは「家出をしてきた」といった。

今年から本格的《ほんかくてき》に修行《しゅぎょう》をはじめるようにいわれて、思わず飛《と》びだしてしまったというのだ。

「雪子ちゃんも、雪女をつぐのがどうしてもいやってわけじゃないのよね。ただ、その前にもっといろんな世界を見たいのに、勝手に決めつけられて、反発しちゃったみたい」

修行《しゅぎょう》をはじめてしまうと、基本的《きほんてき》に山から出ることはできなくなるらしい。

なんだかふつうの人間の反抗期《はんこうき》の話を聞いてるみたいだな、と思っていると、先生は二階建《だ》ての小さなアパートの前で足を止めた。

「ちょっと待っててね」

中にはいった先生は、すぐにうかない表情《ひょうじょう》でもどってきた。

「どうしたんですか?」

「まだ帰ってないみたい。いつもなら、この時間には部屋にいるはずなんだけど……」

先生はこんわくした様子で、ほおに手をあてた。

雪娘《ゆきむすめ》はもともと人間の生活に興味《きょうみ》があって家出したので、先生のアパートにきてから も、朝から一日中、あちこちを歩きまわっているらしい。

とにかく、居場所《いばしょ》はわかったので、これを報告《ほうこく》すれば雪女のいらいにはこたえたことになるんだけど……。

先生は少し身をかがめて、ぼくに顔を近づけると、

「冴子《さえこ》おばさんに連絡《れんらく》するのは、ちょっと待ってくれない?」

といった。

「一度、雪子ちゃんと話してみるから」

「……わかりました」

考えた末《すえ》に、ぼくはうなずいた。

本当はみんなにも相談したかったけど、とりあえずいまは、増田《ますだ》先生にまかせてみようと思ったのだ。

「いつまでもこのままじゃ、落ちついて年もこせないしね」

笑《わら》いながら、アパートにはいろうとした先生は、ふとなにかを思いだしたように立

ちぢまった。そして、足ばやにもどってくると、ふたたびぼくに顔を近づけて、雪女そっくりのこおりつくような笑顔《えがお》で、

「わたしが雪女の血を引いてることは、だれにもいってはだめよ。もしいったら……」

そういって、部屋の中へとすがたを消した。

ぼくがアパートの前に立ちつくしていると、ヒューーー、と冷《つめ》たい風がふいて、どこか遠くの方から、ウウウゥ〜、と消防車《しょうぼうしゃ》のサイレンの音が聞こえてきた。

家に帰ると、ちょうど晩《ばん》ごはんの準備《じゅんび》をしているところだった。お皿を運ぶのを手伝《てつだ》っていると、

ピンポーン

家のチャイムが鳴った。

「だれかしら」

げんかんに向かった母さんが、しばらくして、

「いやねえ」

と、顔をしかめながらもどってくる。

「だれだったの？」

「おとなりの高橋さん。回覧板《かいらんばん》を持ってきてくれたんだけどね……」

うちのとなりには六十代くらいの夫婦《ふうふ》が住んでいて、だんなさんは町内会の役員をしている。

その高橋さんによると、どうやら最近《さいきん》の火事は、やはり放火の可能性《かのうせい》が高いらしい。

さっき、先生のアパートの前で聞いたサイレンも、ある家の庭に置《お》かれた物置《ものおき》がとつぜん燃《も》えだして、消防車《しょうぼうしゃ》がよばれたもので、現場《げんば》から走りさるあやしい男を見た人がいるのだそうだ。

うちも、父さんは帰りがおそいし、昼間は母さんとばあちゃんがいるけど、買いも

のなんかでだれもいなくなるときがある。

はやくつかまってほしいなあ、と思いながら、うどんすきを食べていると、家の電話が鳴った。

「リク、あなたによ」

母さんが呼《よ》んだので、ぼくははしを置《お》いて立ちあがった。

低学年《ていがくねん》の女の子のことをヒデヨシに聞くといっていたので、ソラからかな、と思っていると、

「担任《たんにん》の増田《ますだ》先生から」

母さんがそういって受話器《じゅわき》を差《さ》しだした。

「こんばんは」

ぼくが電話に出るなり、

「ごめんなさい。にげられたみたい」

先生はとうとつにいった。

この時間になっても、けっきょく雪子ちゃんはアパートに帰ってきていないのだそ

うだ。

「白いカラスを見かけるかなにかして、自分がさがされていることを感じとったのかもしれないわね」

寒さには強いから、野宿《のじゅく》しても問題はないだろうけど……。

「山にかくれてるっていう可能性《かのうせい》はないんですか?」

「それはないと思う。山にいたら、冴子《さえこ》おばさんがぜったいに気配に気づくから」

先生はすぐに否定《ひてい》した。

これで、ふりだしにもどったわけだ。

電話を切ったぼくが、がっかりしながら食卓《しょくたく》につくと、

「なんだったの?」

母さんがちょっと心配そうに聞いてきた。

先生から電話がかかってきて、しかもぼくがうかない顔をしているので、気になったみたいだ。

「なんでもないよ」

ぼくは笑《わら》って首をふった。

「冬休みのプリントで、わたしわすれがないかの確認《かくにん》だって」

ぼくは、先生に「もしお母さんに聞かれたら、こういっておいて」といわれたとおりのいいわけでごまかした。

そして、うどんすきの続《つづ》きを食べようとしたところに、また電話が鳴った。

「あ、ぼくが出るよ」

なにかいいわすれたことがあって、先生がかけてきたのかもしれないと思ったぼくは、すばやく立ちあがって受話器《じゅわき》を取った。

「はい、もしもし」

「あ、リク？」

ソラのはずんだ声が耳に飛《と》びこんできた。

「見つかったよ！」

翌日《よくじつ》。

約束《やくそく》の時間にぼくが学校の前にいくと、赤いマフラーを巻《ま》いたソラが、先についていた。シンちゃんとタクミは、どうしても都合がつかなかったらしい。

「じゃあ、いこっか」

ソラのかけ声に、ぼくたちは出発した。

一分ほど歩いて、青い屋根の家の前で足を止める。

すごく大きな家で、庭にはなれまであるけど、このぐらいの家は、七節町《ななふしちょう》ではめずらしくなかった。

インターホンをおして、しばらく待っていると、赤いめがねをかけた女の子がげんかんから出てきた。

長めのツインテールに、前髪《まえがみ》にはうさぎの髪《かみ》どめをつけている。

だがし屋のおばちゃんが見たという女の子――チヒロちゃんだ。

昨日《きのう》、電話でソラは、

「雪娘《ゆきむすめ》といっしょにいた女の子が見つかったよ」

と報告《ほうこく》してくれたのだ。

めがねと髪形《かみがた》がとくちょう的《てき》だったので、弟のヒデヨシに聞いたらすぐにわかったのだそうだ。

「こんにちは、チヒロちゃん」

ソラが声をかけると、チヒロちゃんははにかむように笑《わら》った。

「こんにちは」

チヒロちゃんは、ヒデヨシといっしょにいるのを見ているので、ソラのことも知っていたらしい。

ソラはぼくを紹介《しょうかい》してから、近くの公園に場所を移《うつ》した。

ベンチにこしをおろすと、あらためてチヒロちゃんにたずねる。

「おととい、いっしょに遊んだ女の子のことを聞きたいんだけど……」

チヒロちゃんは、こくんとうなずいてから話しはじめた。

終業式の日。

お昼ごはんのあと、同級生の友だちと遊んでいたチヒロちゃんは、みんなが習い事にいってしまったので、だがし屋のベンチでひとり、おかしを食べていた。

そこに、黒いダウンジャケットを着た知らない女の子が通りかかって、じっと見つめてきたので、チヒロちゃんの方から声をかけて、おかしを半分あげたのだそうだ。

チヒロちゃんが名前を聞くと、その女の子は、

「ユキ」

と答えた。

二人はだがし屋をあとにすると、公園でブランコに乗ったり、ジャングルジムにのぼったりして遊んだ。

そして、暗くなってきたので、学校の前で別《わか》れたのだった。

「そのあと、ユキちゃんがどこにいったか知らない？」

ソラがたずねた。

終業式の日なら、雪娘《ゆきむすめ》は増田《ますだ》先生のアパートに帰っているはずだ。

だけど、そのことをソラに話すわけにはいかないので、ぼくは知らないふりをして、チヒロちゃんの返事を待った。

「終業式の日でしょ？　おうちに帰ったんじゃないの？」

チヒロちゃんは不思議《ふしぎ》そうに首をかしげた。

たしかに、暗くなって別《わか》れるときに、「いまからどこにいくの？」とは、あまり聞かないだろう。

「ねえ、チヒロちゃん。ユキちゃんとは、どんな話をしたの？」

手がかりがほしくて、ぼくは角度を変《か》えて質問《しつもん》してみた。

チヒロちゃんは、しばらくしんけんな顔でユキちゃんとの会話を思いだそうとしていたけど、やがて、

「おうちが厳《きび》しくて、お店で買い食いとかしたことないっていってたよ」

ぼくとソラの顔をこうごに見ながら答えた。

だがし屋でおかしを食べたのが、よほどうれしかったのだろう。

「ほかに、なにか覚《おぼ》えてることはない？」

ソラがぐっとチヒロちゃんに顔を寄《よ》せた。

「ユキちゃん、家に帰ってなくて、お母さんがすごく心配してるの。なんでもいいから、ユキちゃんが話したことで、きおくに残《のこ》ってることはないかな」

ソラのいきおいにけおされたように、チヒロちゃんはめがねのおくで何度もまばたきをしていたけど、やがて足元に視線《しせん》を落としながら、ぽつりといった。

「……みたらしだんご」

「みたらしだんご？」

ソラがくりかえす。

「うん。ユキちゃんが『チヒロちゃんの一番好《す》きなおやつはなに？』って聞くから、わたしが『〈花丸堂《はなまるどう》〉のみたらしだんご』っていったら、それ食べてみたいって……」

ぼくたちは顔を見あわせた。

〈花丸堂《はなまるどう》〉は、商店街《しょうてんがい》のはしにある和がし屋だ。

ぼくたちは、ベンチにチヒロちゃんを残《のこ》して立ちあがると、小声で相談した。

「いってみよう」

ぼくはソラにいった。

「もしかしたら、買いにいってるかも」

「でも、ユキちゃん、お金持ってないでしょ？」

「わからないよ。もしかしたら、ダウンのポケットに、ぐうぜんお金がはいってたのかも」

じつは増田《ますだ》先生から、ユキちゃんに少しおこづかいをわたしていることは聞いていた。だけど、そのこともソラにはいえないので、ぼくは適当《てきとう》に思いついた理由を口にした。

「ユキちゃん、家出してるの？　見つかったら、どうなるの？」

チヒロちゃんは不安《ふあん》そうに、ぼくたちを見あげた。

「だいじょうぶ。おうちに帰るだけだよ」

ぼくは安心させようと、チヒロちゃんの正面にしゃがみこんでいったけど、

「おうちに帰ったら、もう会えないの？」

チヒロちゃんは、いまにも泣《な》きだしそうだ。

「だいじょうぶ。またきっと、遊びにきてくれるから」

ソラの答えを聞いて、チヒロちゃんはようやく表情《ひょうじょう》をやわらげた。

だけど、正直なところ、それはむずかしいかもしれないな、と思った。

増田《ますだ》先生によると、修行《しゅぎょう》をはじめてしまえば、なかなか山をおりられなくなるみたいだし……。

そもそも、本人につぐ気がなければ、連《つ》れもどしても意味がない。

考えがまとまらないまま、ぼくたちはチヒロちゃんに手をふって、公園をあとにした。

年末《ねんまつ》をひかえて、商店街《しょうてんがい》はたくさんの人でにぎわっていた。

〈花丸堂《はなまるどう》〉は、七節商店街《ななふししょうてんがい》で昔から営業《えいぎょう》しているしにせの和がし屋さんで、大きなイチゴがはいったイチゴ大福が人気商品だ。

ぼくたちがお店をのぞくと、頭に手ぬぐいを巻《ま》いたおじさんが、焼《や》きたてのみたらしだんごを店頭はんばいしていた。

「おや、いらっしゃい」

おじさんはぼくたちに気づくと、だんごを焼《や》き機《き》の上でくるくると回しながら、

「一本、どうだい?」

といって、クシャッと笑《わら》った。

甘《あま》い香《かお》りがただよってくる。

本当は聞きこみにきたんだけど、なにか買わないと悪いよな——といいわけをしながら、ぼくたちはみたらしだんごを一本ずつ注文した。

そして、店先の丸いすであっという間に食べおわると、ソラがおじさんにたずねた。

「おとといから今日までの間で、低学年《ていがくねん》くらいの女の子が、おだんごを買いにきま

せんでしたか？」

「ぶかぶかの黒いダウンジャケットを着た、色の白い女の子なんですけど……」

ぼくが横からつけくわえる。

おじさんは、しばらくだんごを回す手を止めて考えこんでいたけど、やがて、アッという顔をすると、

「だったら、昨日《きのう》のあの子かな」

といった。まるで買いものをするのがはじめてみたいな感じだったので、印象《いんしょう》に残《のこ》っていたそうだ。

「その子、買ったあと、どこにいったかわかりますか？」

ソラの質問《しつもん》に、おじさんは商店街《しょうてんがい》のおくの方を指さした。

「ほかの店をものめずらしそうにのぞきながら、あっちに向かって、ふらふらと歩いていったよ」

「ありがとうございました」

おじさんにお礼をいって、ぼくたちは先へと進んだ。

「雪女が熱《あつ》いおだんごなんか食べて、だいじょうぶなのかな」

左右の店に目を配りながら、ぼくがいうと、

「だいじょうぶなんじゃない？」

ソラがあっさりと答えた。

「だって、雪女って、はく息で人間をこおらせるんでしょ？　おだんごくらい、雪《ゆき》娘《むすめ》だったらいっしゅんで冷《さ》ますわよ」

たしかに、いわれてみればそうかもしれないな、と思いながら、さらにおくへと向かっていると、ソラが急に足を止めた。

「どうしたの？」

視線《しせん》の先を目で追うと、小さなクレープ屋さんがあった。

子ども用にキッズサイズもある、七節《ななふし》小の児童《じどう》の間でも人気のお店だ。

ソラはふりかえると、照《て》れたように笑《わら》いながらいった。

「ねえ……念《ねん》のため、ここも聞きこみしてみない？」

聞きこみというより、自分が食べたいだけじゃないのかな、と思ったけど、店頭の

メニューを見ているうちに、ぼくも食べたくなってきたので、ぼくたちはまたひとつずつたのむことにした。

できるのを待つ間、ソラがお店の人にたずねる。

「そういえば、昨日《きのう》きてたわね」

お姉さんは、クレープの生地をつくる手を休めずに答えた。

雪娘《ゆきむすめ》のユキちゃんは、だんごを食べたあとだというのに、キッズサイズではなく、レギュラーサイズをたのんでいたらしい。

「クレープを見るのがはじめてみたいに、すごくいっしょうけんめい食べてたから、よく覚《おぼ》えてるの」

お姉さんはそう教えてくれた。

「そのとき、なにか気づいたことはありませんでしたか？」

ぼくの問いに、お姉さんは手ばやくクレープを巻《ま》きながら、しばらく考えていたけど、やがて申しわけなさそうに首をふった。

「雪娘《ゆきむすめ》は、けっこうお金を持ってたみたいね」

ふたたび歩きだすと、ソラは探偵《たんてい》みたいに指を一本立てて、しんけんな顔でいった。

だけど、クレープのクリームが口のはしについているので、なんだかしまらない。

もくげきされたのが昨日《きのう》ということは、雪娘《ゆきむすめ》は商店街《しょうてんがい》で買い食いをして、先生のアパートに帰ろうとしたところで、追手に気づいてそのままゆくえをくらましたということになる。

ほかに知りあいもいないだろうし、いったいどこにいったんだろう、と思いながら、お店をひとつずつのぞいていったぼくは、かわいらしい雑貨屋《ざっかや》さんの前で足を止めた。

店頭でワゴンセールをやっていて、小さなアクセサリーが、どれも百円で売られている。

その中に、見覚《みおぼ》えのある髪《かみ》どめを見つけて、ぼくは手をのばした。

それは、さっきチヒロちゃんがつけていたうさぎの髪《かみ》どめで、小さなふくろに同じものがふたつはいっている。

「ねえ、これって……」

ぼくがソラに声をかけようとしたとき、

「ソラちゃーん」

通りの反対がわにある、たい焼き屋《や》さんのおばさんが、大きく手をふりながらソラを呼《よ》んだ。

「あ、おばさん」

ソラが手をふりかえす。どうやら知りあいのようだ。

ぼくたちが店の前にいくと、

「焼《や》くのを失敗《しっぱい》したんやけど、よかったら食べへん？」

手を口にそえて小声でいいながら、たい焼《や》きをふたつ、紙につつんでわたしてくれた。

しっぽの先が少し欠《か》けていたけど、ふつうにおいしくて、みたらしだんごとクレープのあとなのに、ペロッと食べてしまった。

雪娘《ゆきむすめ》も、みたらしだんごとクレープのレギュラーサイズのあとだから、さすがにたい焼《や》きはないかなと思いつつ、いちおう聞いてみると、

「それやったら、あの子かな」

おばさんはあっさりと答えた。そして、

「昨日《きのう》の夕方、チヒロちゃんといっしょに買いにきてたで」

とつけくわえた。

「え?」

ソラがびっくりした声をあげる。

だけど、ぼくはちょっとそんな気がしていたので、あまりおどろかなかった。

さっき、ワゴンセールで見かけた髪《かみ》どめと同じものを、チヒロちゃんがひとつだけつけていたからだ。

もちろん、たまたまかもしれないけど、ぼくは、もしかしたら髪《かみ》どめを買ってだれかとおそろいにしたんじゃないかと想像《そうぞう》していたのだ。

おとといの夕方、雪娘《ゆきむすめ》とチヒロちゃんは別《わか》れぎわに、つぎの日も会う約束《やくそく》をしたのかもしれないし、商店街《しょうてんがい》でぐうぜんばったり会って、いっしょにたい焼《や》きを買ったのかもしれない。

それはぜんぜんかまわないんだけど、気になるのは、チヒロちゃんがだまっていたということだ。

「昨日《きのう》もユキちゃんとたい焼《や》きを食べた」といえばいいだけなのに、そういわなかったのは、なにかかくしたいことがあるのかも……。

ぼくたちは、もう一度話を聞くために、商店街《しょうてんがい》をはなれてチヒロちゃんの家へと向かった。

家の前に到着《とうちゃく》すると、ちょうどチヒロちゃんのお母さんが出かけるところだった。

「こんにちは」

ソラが声をかける。

「チヒロちゃんはいますか？」

「あら、ごめんなさい。さっき、お花の水やり当番で、学校にいったところなの」

お母さんはやさしく笑《わら》って教えてくれた。

七節《ななふし》小学校では、冬休みの間も当番で花だんの水やりをしている。

ぼくたちはお母さんにお礼をいって、学校へと向かった。

チヒロちゃんは、校舎《こうしゃ》と体育館の間にある花だんエリアで、ほかの当番の子とおしゃべりをしていた。

「チヒロちゃん」

ソラが名前を呼《よ》ぶと、チヒロちゃんはふりむいて、ちょっとドキッとしたような顔を見せた。

ソラが商店街《しょうてんがい》で話を聞いてきたことを説明《せつめい》して、
「昨日《きのう》もユキちゃんに会ってたの？」
とたずねると、チヒロちゃんはうつむいて、スカートのすそをキュッとつかんだ。
そのかたくなな態度《たいど》に、ぼくはある可能性《かのうせい》を思いついた。
ただ会っていただけなら、こんなにけいかいする必要《ひつよう》はない。
そして、雪娘《ゆきむすめ》は昨日《きのう》、先生のアパートに帰らなかった。
もしかしたら——。
「ユキちゃん……チヒロちゃんのおうちにいるの？」
ぼくの言葉に、チヒロちゃんはピクッとかたをふるわせた。
どうやら図星《ずぼし》のようだ。
となりでソラが「えっ」と小さく声をあげる。
さすがに家の中にいたらばれるだろうから、たぶんあのはなれだろう。
さっきも、チヒロちゃんはごまかそうとしたんだけど、ぼくたちにせまられて、つ
いうっかり商店街《しょうてんがい》のことを口にしてしまったのだ。

いまにも泣《な》きだしそうなチヒロちゃんの表情《ひょうじょう》に、どうやって声をかけようかと思っていると、

「わたしたちは、べつにユキちゃんを連《つ》れもどしにきたわけじゃないのよ」

ソラがしゃがみこんで、チヒロちゃんを見あげるようにしながら、やさしく声をかけた。

チヒロちゃんがソラの顔を見る。

ソラはその体勢《たいせい》のまま続《つづ》けた。

「ユキちゃんは、おうちの人とけんかして、家を飛《と》びだしてきちゃったんだけど、おうちの人がすっごく心配してるから、どこにいるかだけでも教えてあげたいの」

チヒロちゃんは、しばらく迷《まよ》っていた様子だったけど、やがてか細い声で、

「ほんとに？」

といって、ぼくとソラの顔を見ながら話しだした。

昨日《きのう》、ユキちゃんと商店街《しょうてんがい》で待ちあわせたチヒロちゃんは、たい焼《や》きをいっしょに食べて、雑貨《ざっか》屋さんでおそろいの髪《かみ》どめを買った。

おだんご屋さんとクレープ屋さんでもくげきされたとき、ユキちゃんがひとりだったのは、待ちあわせの前にがまんできなくなって、先に買い食いしていたからだった。チヒロちゃんの家の庭には、物置《ものおき》を少し広くしたくらいのはなれがあって、友だちがきたときには、そこで遊べるようになっている。

商店街《しょうてんがい》からの帰り道、チヒロちゃんがその話をすると、ユキちゃんから「一日だけ、はなれにこっそりとめてほしい」とたのまれたのだそうだ。

「ユキちゃん、お母さんとけんかして帰りたくないっていうし、わたしもユキちゃんともっと遊びたかったから……」

鼻をグスグスと鳴らすチヒロちゃんに、ソラは、

「だいじょうぶよ」

といって、頭をなでた。

「ユキちゃんのお母さんも仲直《なかなお》りしたいっていってるの。だから、ユキちゃんと会わせてくれる?」

チヒロちゃんは、こくりとうなずいた。

水やりが終わるのを待つ間、

「ちょっとトイレにいってくる」

といって、ぼくはその場をはなれると、校舎《こうしゃ》にはいって職員室《しょくいんしつ》へと向かった。

ちょうど増田《ますだ》先生がいたので、かんたんに事情《じじょう》を話す。

「それで、いまからチヒロちゃんの家にいくんですけど……」

見た目は小学校低学年《ていがくねん》といっても、じっさいにはぼくたちよりも長く生きていて、しかも雪女の一族なのだ。ていこうされた場合、なにが起こるかわからない。

先生も、すぐに状況《じょうきょう》を察《さっ》して、

「わかった。わたしもあとから、こっそり追いかけるから」

といってくれた。

校舎裏《こうしゃうら》にもどると、ちょうど水やりが終わったところだったので、ぼくたちはそろって学校をあとにした。

チヒロちゃんの家までは、きょりにして百メートルくらいなんだけど、三げんくらい手前まできたところで、

「ん？」

ソラが足を止めて、みけんにしわを寄《よ》せた。

「どうしたの？」

ぼくが声をかけると、ソラはにおいをかぐようなしぐさをして、

「なんか、こげくさくない？」

といった。

「え？」

ぼくはドキッとして、鼻に意識《いしき》を集中した。いわれてみれば、たしかになんだか、こげたようなにおいがする。

いやな予感に背中《せなか》をおされるようにして、ぼくたちは足をはやめた。

チヒロちゃんの家の庭から、黒いけむりがあがっているのが見える。

門から飛《と》びこむと、庭のすみにあるはなれから、パチパチという音とともに火の手があがって、ベージュのトレンチコートを着た男が、ニヤニヤしながら立っていた。

「おい！」

ぼくが大声を出すと男はハッと顔を向けて、それからこっちにつっこんできた。

「きゃあっ！」

ソラがつきとばされて、悲鳴をあげる。

「ユキちゃん！」

チヒロちゃんがさけびながら、はなれにかけよろうとするので、

「あぶない！」

ぼくはその小さな体を、後ろからだきとめた。

だれも出てこないところを見ると、母屋《おもや》にはだれもいないようだ。

はなれの中に雪娘《ゆきむすめ》がいるのかどうかわからないけど、とにかく消防車《しょうぼうしゃ》を呼《よ》ばないと、と思っていると、

「うわっ！」

門の外で、男の大声が聞こえた。ふりかえると、

「この人、なんなの？」

増田《ますだ》先生が男のえり首をつかまえながら、門から顔を出した。

「とつぜんなぐりかかってきたから、とっさに投げとばしちゃったんだけど……」

そこまでいいかけて、先生が火事に気づいたとき、はなれから黒いダウンジャケットを着た女の子が飛《と》びだしてきた。


雪娘《ゆきむすめ》だ。


「ユキちゃん！」

チヒロちゃんが、ぼくの手をふりほどいて雪娘《ゆきむすめ》に飛《と》びついていく。

スマホで消防《しょうぼう》に電話をかけていた先生が、

「あぶないから、はなれて！」

チヒロちゃんをつかまえると、引きずるようにして門から外に連《つ》れだした。

火ははなれのかべに、すごいはやさで広がっている。

雪娘《ゆきむすめ》はほのおに両手をかざした。

その手から、雪混《ゆきま》じりの冷《つめ》たい風がふきだしていく。

ほのおのいきおいは、おさえられてはいるものの、なかなか消えるところまではいかない。

さすがに熱《あつ》さには弱いのか、雪娘《ゆきむすめ》は苦しそうな表情《ひょうじょう》で、顔から大量《たいりょう》のあせをかいている。

このままでは、はなれはもちろん、母屋《おもや》にまで燃《も》えうつるかもしれない。

ぼくもなにかできることはないかと、庭をあちこち見まわしていると、とつぜんソラがつぶやいた。

「……雪？」

「え？」

空をあおぐと、今年はじめての雪が、白い雲からはがれ落ちるように、ちらちらと舞《ま》いおりてくる。

雪はまたたく間にいきおいを増《ま》したかと思うと、まるで竜巻《たつまき》のような激《はげ》しい風とともに、はなれに向かって一気にふきつけた。

ビュウウゥゥウウーーー

風と雪が一点に集中して、あっという間に火が消える。

すべてがおさまったとき、ぼくたちの前には雪女が立っていた。

雪女は厳《きび》しい表情《ひょうじょう》をうかべながら、ぼうぜんと立ちつくしている雪娘《ゆきむすめ》の元にゆっくりと近づくと、そのままギュッとだきしめた。

気がぬけたのか、雪娘《ゆきむすめ》が雪女の胸《むね》で泣《な》き声をあげる。

その様子はまるで、本当におさない女の子のようだった。

ふたたび激《はげ》しくなった風と雪が、二人の体をつつみこんだかと思うと、そのまま小さなふぶきとなって、空高く舞《ま》いあがっていった。

ぼくたちが言葉を失《うしな》って、小さくなっていくそのすがたを見送っていると、遠くから消防車《しょうぼうしゃ》のサイレンが聞こえてきた。

消防車《しょうぼうしゃ》が到着《とうちゃく》したときには、火はすっかり消えていたが、門の外でのびていた男は放火の現行犯《げんこうはん》でたいほされていった。
あとでわかったことだけど、最近《さいきん》の火事は、やはりこの男によるもので、動機《どうき》は仕事がうまくいかなくて、むしゃくしゃしていたためらしい。
はじめは夜中にこっそりと火を点《つ》けていたが、スリルを味わうのがおもしろくなってきて、しだいに明るいうちから人の家にしのびこむようになったのだそうだ。

あのまま続《つづ》けていたら、いずれはもっと大変《たいへん》なことになっていただろう。

ぼくとソラはすばやく相談して、ユキちゃんのことは消防《しょうぼう》や警察《けいさつ》には話さないことにした。

チヒロちゃんにも「ユキちゃんは、お母さんがむかえにきておうちに帰ったんだよ。今度、ちゃんと会わせてあげるね」と説明《せつめい》して、秘密《ひみつ》にすることを約束《やくそく》してもらう。

ちなみに、増田《ますだ》先生が事情《じじょう》を知っていることはソラにも話していないので、先生には「たまたま家の前を通りかかったら火事を発見したので、消防《しょうぼう》に連絡《れんらく》をしてチヒロちゃんをひなんさせている間に、火は勝手に消えていた。あわてていたので、ユキちゃんには気づかなかった」ということで話を合わせてもらった。

そして、なんとかさわぎがひと段落《だんらく》したところで、

カー、カー、カー

ぼくたちの頭上に、白いカラスがあらわれた。

もちろん、ほかの人は見えていない。

ぼくとソラは、あとのことを先生にお願《ねが》いして、カラスを追いかけた。

カラスがぼくたちを連《つ》れてきたのは、七不思議《ななふしぎ》神社だった。

だれもいない境内《けいだい》で、ピンと背《せ》すじをのばした雪女と、シュンとかたを落とした雪《ゆき》娘《むすめ》が、ならんで立っている。

ぼくたちを見ると、雪娘《ゆきむすめ》はおじぎをした。

「めいわくかけて、ごめんなさい。山に帰ります」

ちゃんと向かいあうのははじめてだけど、こうしてみると、本当に人間の女の子みたいだった。

「いろいろと、ありがとうございました」

雪女は深々と頭をさげた。

雪娘《ゆきむすめ》が力を使ったことで、雪女にも居場所《いばしょ》がわかったらしい。

雪女は、雪娘《ゆきむすめ》をやさしいまなざしで見つめると、その頭についたうさぎの髪《かみ》どめをそっとなでた。

「わたしはいままで、雪女の役割《やくわり》にとらわれすぎて、この子の気持ちを考えていなかったような気がします。山にもどったらゆっくり話しあってみるつもりです」

「それがいいと思います」

ぼくの言葉に、ソラもとなりでうなずいた。

「それでは……あまり長く山をはなれるわけにはいかないので」

雪女は空を見あげた。細かな雪が、まだちらほらと宙《ちゅう》を舞《ま》っている。

「またあらためて、連絡《れんらく》をさせていただきますね」

そういって、もう一度おじぎをすると、雪女は神社の裏《うら》に向かって歩きだした。

そのあとを追いかける雪娘《ゆきむすめ》に、ソラが口に手をあてて呼《よ》びかけた。

「チヒロちゃんが、また遊ぼうねっていってたよー!」

雪娘《ゆきむすめ》は足を止めてふりかえると、泣《な》きわらいのような表情《ひょうじょう》をうかべて、大きくうなずいた。

「ちょっと買いすぎたんとちゃうか」

みたらしだんごのはいった紙ぶくろを重そうに持ちながら、顔をしかめるタクミに、

「そやけど、ひとり五本は食べるやろってゆうたんはタクミやぞ」

シンちゃんがそういって、みんなが笑《わら》った。

雪娘《ゆきむすめ》が山に帰ってから数日後。

手みやげに〈花丸堂《はなまるどう》〉のおだんごを買ったぼくたちは、雪女とはじめて話をした、ありりょうし小屋を目指して、川原を歩いていた。

ぼくとソラ、タクミ、シンちゃんにくわえて、今日はチヒロちゃんもいっしょだ。

タクミとシンちゃんには、増田《ますだ》先生のことをのぞいて、事情《じじょう》を説明《せつめい》してあるけど、チヒロちゃんにはなにも話していない。

だから、今日はあくまでも「山のふもとに住むお友だちのところに遊びにいく」という設定《せってい》だった。

あのあと、カラスがとどけてくれた雪娘《ゆきむすめ》からの手紙によると、火事を消すときに自分の力不足《ちからぶそく》を痛感《つうかん》した雪娘《ゆきむすめ》は、まじめに修行《しゅぎょう》をはじめることを決めたらしい。

そして雪女も、たまになら町に遊びにいったり、ふもとの小屋で友だちと会ってもいいと認《みと》めてくれたのだ。

あの日、家に帰ると、ばあちゃんがニコニコしながら、

「やっと雪が降《ふ》ってくれた。これで、安心して年がこせるわ」

といっていた。

七節町《ななふしちょう》の人たちにとって、雪や自然《しぜん》は身近で大切な友人なのだ。

手紙の最後《さいご》は、「大好《だいす》きなこの町を守るために、りっぱな雪女になろうと思います」と結《むす》んであった。

ぼくも、七節町《ななふしちょう》を守るために、ちょっとだけでも力になれてよかったな、と思っていると、

「ユキちゃん、これ好《す》きかなあ」

うさぎの髪《かみ》どめをつけたチヒロちゃんが、心配そうにいいながら、ポケットから手を出した。

うす紫《むらさき》色のリボンがついた髪《かみ》ゴムが、ふたつ、にぎられている。

「きっと気にいるよ」

ソラがチヒロちゃんの背中《せなか》を、そっとたたいたとき、

「あっ」

ぼくは足を止めて、空を見あげた。

「雪だ」

今年二度目の雪が、まるでぼくたちをかんげいするように、山の方からつぎつぎと舞《ま》いおりてきた。

作　**緑川聖司**（みどりかわせいじ）

2003年に日本児童文学者協会長編児童文学新人賞佳作を受賞した『晴れた日は図書館へいこう』（小峰書店）でデビュー。作品に「本の怪談」シリーズ、「怪談収集家」シリーズ、「福まねき寺」シリーズ（以上ポプラ社）、「絶対に見ぬけない!!」シリーズ（集英社みらい文庫）、「炎炎ノ消防隊」シリーズ（ノベライズ・講談社青い鳥文庫）などがある。また「笑い猫の5分間怪談」シリーズ（KADOKAWA）など、アンソロジー作品にも多く参加している。大学の卒業論文のテーマに「学校の怪談」を選んだほどの筋金入りの怪談好き。大阪府在住。

絵　**TAKA**（たか）

イラストレーター。児童・中高生向け読み物の装画・挿絵を数多く手がけている。絵を担当する作品に「ゼツメッシュ!」シリーズ（講談社青い鳥文庫）、『疾風ロンド』（実業之日本社ジュニア文庫）、「基礎英語3」2018年度版（NHK出版）など。大阪府在住。
https://www.taka-illust.com

七不思議神社　白い影を追え

作　緑川聖司
絵　TAKA

2021年4月　初　版
2023年7月　第4刷

発行者　岡本光晴
発行所　株式会社あかね書房
〒101-0065 東京都千代田区西神田3-2-1
電話 03-3263-0641（営業）
03-3263-0644（編集）
印刷所　錦明印刷株式会社
製本所　株式会社ブックアート
ブックデザイン　坂川朱音（朱猫堂）

落丁本・乱丁本はおとりかえいたします。
定価はカバーに表示してあります。

ISBN978-4-251-03737-4 C8093 NDC913 159p 20cm×14cm
https://www.akaneshobo.co.jp